劉福春・李怡 主編

民國文學珍稀文獻集成

第三輯

新詩舊集影印叢編　第103冊

【王獨清卷】

獨清自選集(下)

上海：樂華圖書公司 1933 年 9 月初版

王獨清　著

花木蘭文化事業有限公司

國家圖書館出版品預行編目資料

獨清自選集（下）／王獨清　著 — 初版 — 新北市：花木蘭文化事
業有限公司，2021〔民 110〕

180 面：19 ×26 公分

（民國文學珍稀文獻集成 · 第三輯 · 新詩舊集影印叢編　第 103 冊）

ISBN 978-986-518-473-5（套書精裝）

831.8　　　　　　　　　　　　　　　　　　　　10010193

民國文學珍稀文獻集成 · 第三輯 · 新詩舊集影印叢編（86-120 冊）
第 103 冊

獨清自選集（下）

著　　者　王獨清
主　　編　劉福春、李怡
企　　劃　四川大學中國詩歌研究院
　　　　　四川大學大文學學派
總 編 輯　杜潔祥
副總編輯　楊嘉樂
編　　輯　許郁翎、張雅淋、潘玟靜　美術編輯　陳逸婷
出　　版　花木蘭文化事業有限公司
社　　長　高小娟
聯絡地址　235 新北市中和區中安街七二號十三樓
　　　　　電話：02-2923-1455／傳眞：02-2923-1452
網　　址　http://www.huamulan.tw 信箱 service@huamulans.com
印　　刷　普羅文化出版廣告事業
初　　版　2021 年 8 月
定　　價　第三輯 86-120 冊（精裝）新台幣 88,000 元　　版權所有 · 請勿翻印

獨清自選集(下)

王獨清 著

子畏於匡

（上）

——唉唉，昨夜怎麼又沒有夢見周公呢！唉唉，昨夜怎麼又沒有夢見周公呢！孔子一

覺睡了醒來微微地伸了一伸懶腰，看見已經有幾個門人站在房門外邊了，便急忙一翻

身由土坑上爬了起來曳起他像讀「詩」的調子說了這樣兩句獨白

這差不多已經成了一種習慣了他每當早晨還沒有睡醒的時候門人們總要輪流

143

着在他旁邊站一兩個時辰的班的，爲的是等他起身後侍奉他洗臉嗽口梳鬍鬚等等的事情。在他也是一種習慣起身後總要先說兩句獨白不是說昨夜夢見周公便是說昨夜沒有夢見周公不然便是先嘆兩口氣表示他一夜都用着思想沒有安穩地睡覺接着就說是現在的世事是不行了使他不能發展他底才能等等大概總是只說到兩句的樣子，便不再多說門人們馬上便捧着梳洗的器具圍了上來一面請他梳洗，一面給他問安。

可是今天早晨孔子有些驚訝了他由這店房中的土坑上爬了起來並且照常地說了兩句話以後卻還不見那幾個站在門外的門人走上前來。他以爲是他睡的這個土坑的方向沒有正對着房門門人們沒有看見他是已經坐在了坑上，也由於他說話的聲音太小的緣故所以便又把嗓子提高了一下仍然用他讀『詩』的調子再重複地說道：

——咦咦，昨夜怎麽又沒有夢見周公呢！咦咦，昨夜怎麽又沒有夢見周公呢！

子 畏 於 匡

這一次聲音的確是很大的，在房門外的人無論如何總可以聽得見了但是奇怪那幾個門人還是連動也不一動好像簡直沒有這一囘事的一樣這個使孔子底心中完全冒起火來他使勁地把他身上的長一身有半的寢衣一脫（差一點怕就要扯破了）由坑裏面拉出一件外衣來披在了身上便很憤怒地跳下了坑來。可是這時當他揉了揉眼睛注意地一看那幾個門人時他纔發見他們底臉都是朝着外邊並且個個人都帶着一種驚慌的樣子，特別是那個瘦弱多病的顏淵或者因爲他衣裳穿得太薄的緣故只見在不停地打着冷戰這分明顯露出了是有甚麼意外可怕的事情發生了。

——唔，囘呀，是有甚麼使我們敬戒的事情嗎？畢竟還是顏淵可以使孔子不發脾氣，

孔子看見了他那種可憐的樣子，便首先叫着他發問

這時門人們纔注意到孔子了，都一齊囘過了頭來，鹵莽的子路聽了孔子在發問，便

145

不等顏淵底回答，先揚起頸子來報告道：

——先生呀！不知道什麼緣故這兒匡地底農民扰我們住的這個客店圍住了他們

有的拿着鐮刀有的拿着鋤頭，預備要殺我們呢！

這事來的真是有點驚人孔子聽了子路底這個報告，不由得倒抽了一口冷氣：

——唔唔……

這時他魏真個聽到外邊羣衆叫喊的聲音，同時也看到通過他房門前的院子，在客

店底大門口擁着的那羣執着武器的農民了。因爲這事來得太覺突然竟使他失了一向

威而不厲和恭而安的態度，不覺帶了顫聲向子路問道：

——哦由呀！你是聽見他們說是要殺我們的嗎？

這時顏淵看出孔子是有些害怕了，便忙搶着用安慰的口吻（其實他自己還打着

冷戰呢）說：

146

子畏於匡

——我想不會的。有先生這樣的聖人在這兒呢，他們怎麼敢行其不義呢！

子貢在一旁正在爲他身邊帶的旅費憂愁這時也忙插了一句：

——他們怕是爲搶刼我們底貧財的能？

畢竟還是顏淵可以使孔子安心，他底一句話果然便發生了効力了；孔子並不理子

貢底推測仰起頭來歎了一聲道：

——啊啊！回呀，你眞說得對！你若有錢時，我一定去作你管錢的人啊啊！回呀你眞說

得對！文王雖然死了，但是承繼他的除了我還有誰呢？假使天不要人承繼他，那我可以隨

便被甚麼人殺掉，但是天已經要人承繼他了，那麼匡人敢把我怎麼樣匡人敢把我怎麼

樣！

——是呀！顏淵看見孔子底膽漸漸地壯起來了，便再附和地說：前次桓魋要害先生

時，先生不是也這樣說過嗎？結果果然他不敢把先生怎麼樣呢。

147

——啊啊！孔子不覺又驚讚起來了。連二連三地點着頭說：咽呀咽呀你真是聞一而知十呢！我自有了你以來，這些人們（他用手指着他身旁的幾個門人）不知道得了多少的益處你使他們更要信仰我更要親近我了！咽呀咽呀你若有錢時我一定去作你管錢的人。

這師徒兩個就儘管這樣互相標榜了一陣，對於目前了不得的禍事還沒有一個切實的辦法這個竟然激惱了那位遇事切於實際的子張了他很憤慨地向着孔子抗議道：

——現在不是說空話的時候我們一向只知道讀書遇到這樣的事情若是還在『文質彬彬』恐怕大家當真要跟着文王去了呢！

這幾句話說得真過於強硬了竟使孔子幾乎馬上答不起話來，——這種情形不知道有多少次數了子張話出來的話總使孔子難於應付好幾次孔子想不要這個弟子了，

但又因為他應送的束修總是按時交到所以便又馬馬虎虎地敷衍下去現在子張又這

148

子畏於匡

様不客氣地說話了，這使孔子不得不發脾氣，兩個眼睛盯住了子張，很想大大地發作一下。但是在這個時候忽然子路大叫了一聲用手指着前面說

—— 看呀看呀他們來了他們來了！

孔子忙撇開了子張跟着子路底手看向前去果然是有十多個高大的農民由店門口走了進來他們手中都拿着一把鐮刀赤着脚很粗野地向這一方走來，

—— 唔唔……孔子看見門人們都在面面相覷嚇得沒有一個敢動，自己不覺得也同顏淵一樣全身上都在打起冷戰來了。

—— 你們要怎麼樣你們這些野人？還是子路英勇，雖然也同其他的門人一樣的害怕，但是當到那幾個農民要走到面前的時候卻振起了精神把袖子一捲揮着兩個拳頭衝上前去問了一聲。

149

——走開！我們不同你講話我們要的是陽虎！

大家總了爲首的那個頭目底粗野的囘答不覺同聲詫異地叫了起來：

——陽虎？

——陽虎？

——陽虎？

……？

這時聰明的子貢知道這時只是一個誤會並沒有多大的危險了，便走上前一步去辦交涉：

——你們弄錯了啦。這兒羊也沒有虎也沒有這兒有的只是孔夫子，你們再不要撒野了！

——諸位錯了，我是孔丘呢。孔子也忙拱起手來鞠躬如也地分辯。

150

子畏於匡

——囉甚麼你是孔丘嗎？

的，孔子忙又答應着說我實在是孔丘許多人都因為我底面貌有些地方很

像陽虎，便以為我是他了，其實陽虎並不一定同我相像呢最不一樣的便是我這頭（孔

子說到這裏忙把他底後部靠住房門——或者因為冷戰打得太厲害了，有點站不穩的

緣故罷。——把腰彎了一下低下他底頭來讓他們看）我這頭是墳起着的這個尖頂是

陽虎所沒有的呢。

　　鹵莽的子路又搶着說道：

——你們或者以為夫子去會過陽虎，便也把夫子當成陽虎了嗎？可是他雖然會過

陽虎，僅僅答應過說是要去謀一點事做其實他還沒有實行，他不過只吃了陽虎底一個

燒猪罷了……

　　鹵莽的子路只知道搶着說話，卻不知道話底輕重，這幾句不需要而容易壞事的話

151

還沒有說完已經把孔子氣得臉都變白了他不等子路底話完，便狠命地囘頭來罵着子路說：

算了罷哦！由呀，你眞野呀，你眞野得同這些匡人一樣了，君子對於自己不明白的事情總是不說的呀！你怎麼却是這樣地愛說話呢？

但是事情終歸被子路弄壞了，不怕孔子這樣罵了幾句，却已經挽不囘來那幾句話所發生的不好的效果。這時匡人底頭目在張起大嘴哈哈地笑起來了，他一面笑，一面嚴厲地說道：

—— 是這樣嗎？哈哈哈你不是陽虎，也是陽虎底同黨陽虎在我們這兒刮了許多地皮，大槪你也分了些罷哈哈哈捉住你，同捉住陽虎一樣橫豎你們兩個生的都是差不多的，所不同的只一個頭，這有甚麼要緊呢！你說你是孔丘好就是孔丘也罷又有甚麼大不得了處！你終日在講道德說仁義試問你自己到底做了些甚麼你底手拿過鋤頭嗎？你底

子畏於匡

脚在田地裏跑邊嗎？你怕連麥子和穀子都認不清楚呢？還麼你招搖了這許多徒弟！還麼

他們把你叫作『夫子』哈哈哈！夫子你配當夫子嗎你到處去勾結呈帝勾結官僚想來

蒙蔽我們百姓你是只要我們百姓跟到你走你是不要我們有知識的呀！哈哈哈聽說你

不久纏在衞國和衞靈公底老婆叫作甚麼南子的要好得不得了呢哈哈！怪不得聽說

你有個甚麼徒弟得了一身的毒瘡死了呢。哈哈！爲捉陽虎，却捉到了你，剛好剛好

這樣一串淋漓的痛罵弄得全體都不敢說話了。就是善辯的子貢，也變得像三緘其

口的金入一樣孔子是把一個全身都貼在了門上兩眼發着直光廠色簡直變成死白的

了。

沉默了一陣，不知道是孔子底樣子太可憐了，竟使匡人底頭目生了同情的心情，或

者還是那頭目想起了別種緣故覺得不宜把孔子辱得過火他竟沒有用他手裏的鐮刀，

忽然再向着孔子說道：

153

——也罷！我不殺你、我讓你自己餓死我們只把這店門圍住、使外邊沒有糧食送進來、店裏沒有飯給你吃、就讓你這樣餓死！像你這不拿鋤頭的人也正應該嘗嘗這個滋味呢！

眞像是判決罪人的一樣！那頭目宣布了他定給孔子的刑法、便掉過了身子率着他底同伴走出店外去了。

（下）

孔子這次是由衞國出來的、他這次離開衞國實在因為有一樁最痛苦的事體使他住在那兒再不能安居下去了。他到衞國不久的時候便和衞靈公底夫人南子發生了戀愛。提起這個南子在當時眞是無人不曉她底美色在傾倒着一切的公卿大夫特別是衞國掌兵權的左右司馬簡直瘋狂一般的拜倒在她底脚下。衞靈公也就是靠這種情形在維持着他底政治局面的。可是不知道是甚麼緣故孔子到衞國不過幾天的工夫、便和她發

154

于畏於佳

生了戀愛了。這個對於衞國底公卿大夫實在是一件闖入的打擊，因爲孔子底聲名利地位頗能得那位虛榮心強烈的南子底歡心因此那般公卿大夫便想出種種方法去制牽衞靈公使他不能給孔子甚麼官職免得孔子死守在衞國不走。

這便是孔子痛苦的所在了他一面忍受着那種不能常常接近的相思底煩悶，一面又要對付那般公卿大夫底種種陰謀他很想在衞國能得個一官半職便可以住了下去，但是事實上終於沒有成功。

有一次衞靈公和南子坐着一個車在街上巡遊，因爲要優待孔子的緣故，便請孔子獨坐在另一車上跟在他們後面一同走着當時街上的人們都在嘖嘖地稱羨訪孔子底身分眞同皇帝一樣了，因爲從來很少有人得過皇帝那樣的寵幸那種榮耀幾乎是從來沒有人享受過的但是這個卻不能使孔子快樂他坐在後面的車上看見衞靈公和南子很親熱地並着肩談話他填滿了嫉妬的憤火的心就像是一個塞着煤炭的火爐一樣，漸

155

漸地漸漸地爆燃了起來。最後是再也不能忍受下去了，他竟然像發了狂的一般也不招
呼一聲執轡的車夫，使車子停住便一聳身由車上跳了下來。可是因為車子走得正快的
緣故，他竟像翻了一個斗接着便跌倒在街道上了及至左右的人把他扶起時他看見
許多人在圍着他問訊他昏亂的神經纔有些恢復了轉來。因為弄得過於不好意思了，他
便忙指着衞靈公說道：『啊啊，我沒有見過人君好德像好色一樣啊啊，我沒有見過人君
好德像好色一樣！』

　　自從鬧了這次笑話以後，孔子底舉動總有些不能保持平均的樣子。最顯著的便是
他用拐杖打他底老朋友原壤，還有子路為他殺了一隻野雞炒得很好的呈給他時他卻
只把鼻子偎在肉上嗅了三下便連盤子都一齊摔到地上去了。——這一類的事情每天
他總要演好幾樁給門人看的，他底脾氣變得非常奇怪，椅子擺不正或是下酒的冷猪肉
切得不好時，都是他罵門人的資料。並且怕是因為神經漸漸虛弱了的關係他又喜歡吃

156

子路於匡

起剌激性強烈的食物來生氣便是他最喜歡吃的一種常常爲了門人忘記去買的緣故，鬧得連飯都不肯去吃門人們被他弄得很有些頭痛起來了。

不過養他底門人裏邊顏淵卻是一個最能得他信用的人每當他和門人吵架的時候，總是顏淵出頭來調解幾把事平下去的。顏淵大概也有些明白孔子的苦處，所以屢次勸他離開衛國到別處去換一換新的環境他雖然屢次都答應着說：『我是可以走，也可以不走可以不走也可以走的』但是他始終卻一步也不曾移動過

但是命運註定他要離開衛國了他因爲顏淵常常這樣勸他恐得實在有些難以敷衍過去使去良來了半天南子請她無論如何設法使他得一個官職免得憔管空住在衛國連門人們都要懷疑了起來南子果然嬌了他底要求在衛靈公面前代他說了許多好話結果衛靈公果決眞心要任用他了卻不料風聲一傳了出去一般公卿大夫都聯合起來一致的聲明反對被激烈的是左右可民立地使遞出了辭職党弄得衛靈公沒有了主

157

意了。最後是衛靈公去問他能不能帶兵他纔覺得自己實在沒有再在衛國住下去的可

能了，只好回答衛靈公說：「俎豆的事我是學過的，軍旅的事我實在不懂」——「好不懂那

我可真是沒有方法安插你了！」——其實他也曉得這是衛靈公故意難他的，這樣一來，

他纔忍苦含辛地離開了衛國。

——哦哦，只有由這個人討厭呀哦哦只有由這個人討厭呀！

匡人底頭目走去了以後門人們便都默默地到後面他們底房間裏私議去了只剩

到孔子一個人坐在土坑上邊看着店門口圍着的農民真好像是鐵桶一樣這是決沒有

法子可以逃出的了。他不由得不把他一腔的怒氣都移到了子路底身上。

他不禁想起他和南子初見面的那一次了那一次要算他最可紀念的一個時辰：他

曾跪在了南子底面前把他底髟鬖偎近着她底雙膝他感着了從來沒有過的一種陶醉。

158

子 長 於 匡

最後她為酬答他底好意把她胸前帶的一顆九曲明珠取了下來放在他底手裏作為她送給他的紀念品那時他忍不住捧着她底兩手熱烈地狂吻了起來。可是不料當這個時候，不懂事的子路因為在外邊等了很久（子路是保護他的唯一的親隨他到甚麼地方去都要跟着的）有些不耐煩了，竟然很冒失地撞了進來這個使他幾乎沒有方法可以掩飾他底祕密了出來了以後子路滿不客氣地質問他時他只好仰向着天發了幾句笨誓纔算把頭腦簡單的子路瞞了過去

——哦哦只有由這個人討厭呀！哦哦只有由這個人討厭呀！

他一面連二連三地罵着子路，一面由懷裏掏出南子送他的那顆九曲明珠來他很鄭重地把牠用兩手揑着低下頭去不停地吸吮他是完全沉沒在囘憶的幻夢中去了。

………

這樣，這樣他把頭埋在手裏很久很久了，忽然覺到有一個人在輕輕地拍着他底肩

159

頭，接着一個女子底聲音傳到他底耳裏來：

——喂，你就是孔丘嗎？

他吃驚地忙把頭抬起時他看見一個服裝粗野的年青婦人立在他底面前她臉上浮着一臉好奇的微笑她底兩手插在腰間很傲護地看着他這確使他有些驚呆了他幾乎疑自己是在作夢不自由地他口裏哼着道：

——你？……

——你？……

——我嗎我是這兒頭目底夫人。我來看聖人我聽說你被捉住了，我來看你是怎樣的一個人呢。

因爲別人都說你是個聖人我來看聖人到底是一個甚麼樣子的？

她底原始的擴悍的態度中露着一點風流的自賞講起話來頭不住地扭動兩個金色的大耳圈儘管在孔子眼前閃灼她把孔子由頭上打量到脚上又由脚上打量到頭上，

她完全是把孔子當成了一個猴子了。

160

子畏於匡

不知道是人急智生還是聖人有權變之道，孔子這時卻像是得了一種意外的啓示，

他突然地縮下身去跪在了這個年青農婦底脚下了。

——哦頭目夫人你救救我罷你們本來是要捉陽虎的，我既不是陽虎，就該放我自

由。我實在是一個好人呢──救救我罷！

——唉唉……

這個郤使着這位頭目夫人有點驚駭了。孔子底這種舉動大概是出了她底意想之

外，她怪訝地怔了一下，便忙抽轉了身子預備走了開去。

然而她底下層的衣角卻被孔子緊緊地拉住了。孔子繼續地說：

——還是你救救我還是你像你這樣美貌這樣能引起人愛慕的人（孔子

居然懂得女子底心理──怪不得大宰曾誇他是多能的呢）一定願意從患難中把人

救出來的。你要我怎樣酬謝你，我都辦得到。──哦（不知道是人急智生還是聖人有權

161

變之道他突然把他手撚的九曲明珠遞到她底手裏）你先把這個明珠收下罷這明珠

是九曲的你看這是多麼好看呀這種明珠恰恰配得住你你把牠帶在胸前一定更顯得

你是美貌呢——哦那麼你看我來把牠替你帶在胸前罷！——（他又由她底手裏拿過明珠

來他站了起來替她帶在了胸前。——大概南子帶這顆珠子的地方和形式他還沒有忘

記，所以替她帶得很不外行呢）你看這多麼好看呀這多麼好看呀……

當孔子正在這樣一面說着一面替這位頭目夫人打扮的時候，不料顏淵（這

一次不是子路了）却一擺一擺地走了進來

顏淵大概是怕孔子一個人憂愁得太厲害了的緣故所以特來想安慰安慰並想商

議對付匡人的辦法的不料卻撞着了這樣一個意外的現象但是顏淵畢竟是『不愚』

的他雖然詫異了一下但却趕快就低下頭來一轉身又走了出去忙忙地迴避開了。

這眞討厭呀！——孔子心裏雖這樣恨了一句但也管不了許多他還是拚命地繼續

162

着他的工作。

他把九曲明珠給她帶好以後又把身子一縮跪了下去了：

──還是請你救救我罷！還是請你救救我罷

好罷好罷我去同我們底頭目商量去。

最後她算是答應了孔子底請求當她走出了孔子底房門外邊時，孔子却還是跪在地下，口裏還在不停地說着：

──還是請你救救我罷還是請你救救我罷！

幾個時辰以後門人們又聚在孔子底房門前了。這時在店門口圍着的農民都自行走散了這在門人們看來眞是一個奇蹟。

子路（又是子路）正在發着他鹵莽的驚歡：

子 畏 於 匡

163

啊，眞奇怪這些匡人大概是同我們鬧着玩的罷！

這時孔子已經恢復了他威而不厲和恭而安的態度他向着子路哂然地笑道：

——由呀你雖然比我好勇但是遇事却總有些糊塗呢！

——糊塗那麼他們既說是要把我們餓死，爲甚麼却又不言不語地自行走散了呢？

——這個嗎？……哦文王雖然死了，但是承繼他的除了我還有誰呢？假使天不要人承繼他那我可以隨便被甚麼人殺掉但是天已經要人承繼他了，那麼匡人敢把我怎樣——

匡人敢把我怎樣——

顏淵從一旁走過來了，他照例地附和着說：

——是呀這正同桓魋要害先生時的事件一樣呢，

孔子一看見顏淵忽然想起適纔的事情不覺有點不好意思便趕忙敷衍了一句：

——這半天沒有看見你，我以爲你走到外邊去被匡人殺死了呢。

子　游　於　瓦

——那兒底話！先生還活著呢，我怎麼敢去死呀？

這時門人們都充滿著和平的喜悅，大家底臉上都泛著笑容，孔子站在這些門人中

間，真像是一個獨高彌堅的泰山一樣他聽了顏淵底囘答很高興地又讚美了一句道：

——哦呀你真賢呀！你若有錢時我一定去作你管餐的人你若有錢時我一定去

作你管餐的人！

165

流浪一頁

—— 這兒統統算好了除了收過的一百佛郎，還欠着一千零四十佛郎…

我前面站着一個高大的法國婦人穿着一身黑衣臉上露着巴黎式的狡猾的表情，

手裏拿着一張賬單給我看這是服侍蕘雲生產的產婆。

愛國的醫生熱心地介紹的這位產婆，是兼作着一種寄宿舍的生意的她把蕘雲當

成了一位到歐洲遊歷的東洋資本家底小姐房子餐品都按照着上等的水平去佈置，再

167

加上醫藥和服侍的人工每天平均是需要着六十佛郎，蓊雲是生產前後共住了有半個

多月的光景，結果便是一筆驚人的賬目。

不消說產婆是和那位愛國的醫生串通好了的，他們一定是看穿了我和蓊雲這兩

個不懂事的外國人利用了我們要祕密的弱點就順手敲了一筆竹槓這個自然我心裏

是明白得很不過同時我心裏一樣也明白不能夠和她爭執甚麽的，我把我幾個月來到

處借得的錢和我投稿給M城底一家週報（這是M城底房東靡萊先生給我介紹的）

所得到的稿費統統送給了那位產婆。

蓊雲生了一個女孩當天就被孤兒院抱了去對於這個在她未到這世界以前便先

決定了她底悲慘命運的女性我是完全沒有見面。就是蓊雲對於自己底可憐的女兒，大

概也沒有看得清楚我只由蓊雲手中看見了一張孤兒院交給孤兒的移交人的證明單，

那是準備和孤兒有關係的人探問時用的蓊雲在那張單上給女孩起了一個名字叫作

流　浪　一　頁

"Barrie"，這便是母親對女兒所盡過的唯一的義務無疑地蘅雲是沒有到孤兒院去

探問過那張證明單不知道以後是不是存在或者蘅雲在自己屢次生活底變化中間爲

方便起見也竟把牠毀掉了罷？

　　女孩自然是以後誰也不會知道她底消息，能夠想到的便是她也和其他的孩子一

樣·跟隨年復一年向人間展矢的春光增長着她底年齡她底智識她底容貌…悲慘的命

運卻決不能妨止她底成長——這是應該感謝『自然』的！—也許她是一個聰明的，

勇敢的甚至是勤人的姑娘…現在當我在寫這幾行的時候算起來她已經有十歲了；若

是她還存在，就是說悲慘的命運若沒有濫用牠底權力時，那巴黎底工廠中是就快要多

添着一個奴隸她是快要爲法國資本主義去服務，快要開始在那一羣和她同樣地位的

工人中去攪耗她年輕的體力和年輕的血汗的了！——這個女工將來的前途是怎樣誰

知道呢！或者是和某部分受現社會壓迫的人物一樣，無意識地墮落了下去或者有可能

169

遇到某種人底引導走向另一方面甚至將來茌法國必然的大事變中間能作一些相當

有意義的事體表現淪落的勞苦羣眾底靈魂之一點星火…這些誰知道呢！

蒝雲這時決意要去里昂她底理由是她在巴黎熟人太少，里昂有她許多同鄉可以

去設些法好維持暫時的生活。這是眞的我替她處理完了她生產的這樁大事以後我手

頭是已經到了十二分貧乏的地步連我自己底生活也馬上就要成問題了大概是在她

出了產婆底優等旅館後再過了一個星期的樣子，她便照她底計劃動身我在巴黎車站

上送她時她再三地叮嚀着要我不久便去看她並且用一種女性特有的傷別的慘澹表

情，她顫抖着聲音對我說：

—— 不要只記我底過去…我以後一定會抵抗一切誘惑…只要你不放棄我，我是

決不會再使你受痛苦的…

我和蒝雲的戲連續地演到這兒可以說是達到了一個頂點了…

170

流　浪　一　頁

藹雲走後不久的時候，很突然地我接到一封帶均由J城寫來的信這信敍述着他和藹雲接近後所惹起的各方面對他攻擊的情形他把那些攻擊的聲音綜合起來反投到幾個人底身上去他說那便是攻擊他的主謀者之一羣他所舉的幾個人底中間會有也是一個還有些是「少年中國學會」底會員最要緊的是他露出了一種對我的懷疑，彷彿是自從藹雲到J城去了以後我便間接地製造了一些使人得以攻擊他的空氣他特別指出說他所舉的幾個人都和我認識接着就說我應該替他作些名譽上的辯護並且加上說我所處的地位和我初到巴黎時他對我的友誼都是促成我寫他盡這次義務的理由。──這是很明顯的，帶均是很聰明地定下了計劃藹雲既是已經和他脫離當然盡可能地把過去的一段歷史在表面上洗刷乾淨至於擔任洗刷的職務除了我又是再沒有適當的人物因為由我出來否認他和藹雲的關係那纔可以使別個相信，同時還有藹雲生下的孩子的問題帶均一定為這件事感到了很大的憂慮在他想來

[7]

也只有由我出來這樣的說一番話幾乎可以免去將來對於他的麻煩，不過，我必須聲明當

我接到帶均底信的時候，我卻不曾立刻觀察出帶均底這些用意，因為他底信寫得是太

過動人了。帶均一向並不長於文學可是這封信卻好像是烟土披里純了的作品他用一

種有色彩的傷感主義者底鼓動手法在刺激着讀信的人。（可惜的是我把這封信失掉

了，不然我一定把牠公布在這兒）我是眞的被他打動了，被他底藝術打動了他底勝利

就在使我在那個剎那好像忘記了他所有的過去的行爲同時使我心中爲他起了一種

不平的義憤幾乎是顧不得用一點時間去思索我便作了一件狠像是帶些詩意的理想

主義同時卻也不可否認是散文的拙笨形式的事情。—— 我狠快地依了他底要求給他

所舉的幾個人每人寫了一封信去

在那幾封信中我出了狠大的氣力給帶均辯護並且盡我感情能衝動到的都以感

情去代替了一切應說的話我完全沒有想到將來和人結怨的這囘事公然把一種會引

流 滇 一 頁

起對方狂怒的責備一點不客氣地擲向那幾位狠顧面子的留學生底面前去我記得那

幾封信中責備的最厲害的要算寫給曾暨和一位我在上海辦報時的同事叫作羅餘岑，

的兩封信原因是曾暨一向愛管閑事並且常常以舊道德的立場沒有選擇地罵着別個，

羅餘岑則是一個曾暨底純粹擁護者，一個曾暨底留聲機

其實我所以能那樣憤慨現在想來主要的還是我意識間狠久積壓着的感情底爆

發。我是一向便看不慣那般留學生底虛偽的行動。自從那一大批勤工儉學生被強迫送

囘國了以後在歐洲底留學生除了極少數是思想前進的份子而外其餘的多半是具着

整個前世紀的頭腦的人物而其中最使人起反感的便是曾暨一部分人和「少年中國

學會」底會員。（曾暨和「少年中國學會」是有最密切的關係並且隱隱地支配着「

少年中國學會」底全體像周虛成汪廣季幾個「少年中國學會」底重要角色都是在

把曾暨當作唯一的偶像的。）這般人在當時留學生中算是處於小資產階級的地位一

173

面和名流政客官費生有着勾結，一面又和勤工儉學生相周旋在一種中間地位所養成的相當勢力之下，他們好像儼然自居為裁判官一樣常常狠嚴厲地抨擊着別個底行為；可是他們所抨擊的從來沒有名流政客官費生在內，同時他們自己底行為也並不比他們所抨擊的人好出了多少所不同的便是他們許多事都是避開人做，而別個則是完全公開，——就只是這麼一點這種情形，在我已經是看得實在忍耐不住，不消說一方面他們又在不時地反對着我這樣一天一天地我已經和這般人在精神上形成了兩個世界。因為有了這種原來的成分所以帶均底事纔使我那樣激動，這個後背是有新舊人物底衝突的意義在活躍着的。——自然我那樣正式地替帶均辯護卻也是不能否認的太過幼稚的舉動我是完全被臨時的感情所迷惑，結果說了許多掩蓋事實的假託…這層，當然是太不高明了。

關於「少年中國學會」在這兒不妨多說一點。這個團體在五四運動以後算是震

撼了一時，當時智識界對牠的理想幾乎是達到了最高的程度。但是現在我們囘想牠到

底有沒有作過些甚麼重要的事情呢？這個我們可以狠快地囘答沒有除了一點零碎的

西洋資產階級底學說的介紹甚至在那學說本身上還不曾弄明白的介紹而外甚麼也

沒有。這一個純粹小資產階級智識份子底集團所壞的就是沒有中心的主張在當時某

名流提出的『多談些問題少談些主義』的口號之下的確是造成了一種空氣『少年

中國學會』便是這空氣中的最具體的產物。不用解釋這種口號只是資產階級自由主

義者欺蒙羣衆的呼聲這兒是流露着不願推翻現社會經濟制度的明顯的表示的當時

|中國是承繼所謂『戊戌變政』而更進一步的資產階級底大規模文化運動的時期新興

階級底政黨還沒有正式產生，一般小資產階級自然只有跟着資產階級自由主義者前

跑這種集團之不能獨立和立刻要陷於分化在老早便可以看出來了最有趣味的是所

謂『少年中國學會』底會章上面印着幾項空虛的觀念論的抽象名詞——『純潔』

175

『奮鬥』『互助精神』等等作爲會員同志底信條。並且周虛戎還做過一篇文章，論列

了好幾條青年應守的道德似乎特別把『純潔』一個名詞使勁地解釋了一番汪廣季

也狠誇大地發表着言論若說是青年離開『少年中國學會』那樣『純潔』的團體便

再沒有出路：：在當時自然會有一部分人去聽這類的話甚至竟製成了一種表面的勢

力；不過團體由牠底社會基礎而得的必然結果卻一點也沒有受這個底影響。到新興

政黨在中國抬起了頭，『純潔』的『少年中國學會』便立刻由分化一至於歿落這時

智識份子也開始明白了不談主義只談問題是得不到甚麼解決的於是首先『少年中

國學會』底領導者之一後來在北京慘死了的李修昌便堅決地放棄了『少年中國學

會』去作另外有意義的活動跟着便是一大羣人脫離了這個團體結果是除了幾個不

管事的份子以外不願退後的份子都去加入了新興政黨，不願向前的份子都歸到曾暨

領導的國家主義底旗幟之下。

頁　一　流　浪

在我起初是和這個團體會發生着友誼的關係，原因是牠底幾個重要角色之中有

一半便是我在上海編輯『救國日報』一時的同事，不過那幾位同事卻在狠早便露出來

了和我思想上的分歧最顯明的是我和他們同主持着那個以單純的愛國宗旨去號召

的報紙，可是我卻在那報紙上發表着社會思想的言論同時還作着工會的活動，──雖

然那些言論本身底時代是在成熟以前並且那些活動也是被稚氣和無理解所充滿但

是誰也不能不承認我是已經有了一種和當時環境正相反對的意識了。──而他們則

是完全抱着『愛國』的斑剝銅像底腿到死不放本來他們也在勸誘我加入他們底團

體，可是在我還沒有正式表示的時候便被我到巴黎後和蘋雲的一場戀愛弄得打斷了

下文關於這層後來鄭白基（他也是『少年中國學會』底會員是和我過去大多半的

生活最有關係之一人）曾說是我和郭麥弱幾乎處於完全一樣的情形這是狠不錯的：

郭麥弱本來也和那幾個『少年中國學會』底重要角色有過狠深的關係以後所以變

177

為敵對的就是因為郭麥弱有了和日本女子結婚的一件事這個現在說起來怕曾使人

覺得出乎意外，『少年中國學會』在牠底那種莫明其妙的會員底信條之下支持牠底

存在的便是一種虛偽的道德觀念，而那幾位重要角色發揮那種觀念時又以男女問題

為反道德的極致，所以凡有人和女性結合只要稍微和一向傳說的形式有點違背的便

即刻在他們面前成了最大的罪人了，我還記得郭麥弱還有過一封通信登在『少年中

國學會』底刊物上面那時郭麥弱是纔在開始文學事業對於『少年中國學會』還像

懷着十二分的熱忱，在那封信中極力向周盧成汪廣季甚至曾暨懺悔並且把自己比成

了Amoeba。但是那卻是一點也沒有打動那幾位自居為少年中國的領導者底心坎，

罪人還是罪人。現在我計算起來和我同時代並且還作過朋友的許多參加那時文化連

動的人物要說到始終一點都不肯轉變方向的怕就要算他們那幾位先生了不管時間

怎樣使前去的浪潮在他們底身邊濾過。可是總不能在他們底思想和行動上尋出一絲

178

流 浪 一 頁

社會進化的痕跡一直到今天他們還是國家主義政黨中的最上層的要人，

當我在 M 城時住在歐洲的『少年中國學會』底一部分會員會和我有過一次聚會，會暨也出了席（他雖然一面罵我是應該鎗斃一面卻還和我周旋着）發表了許多他底主張那次我便透澈地看出了那般人之不能夠和我合作他們和我起了一陣辯論。

我是再三地講着一切問題都要從改造整個的社會這一方案上着手並且還舉了所謂人類底永久問題像愛和死等等去作例，說是凡有犯了不正當的愛和罪惡的死的都不是本人底過錯而是由於社會底不良，他們則另是一種見解以為個人底行為完全要由個人負責社會是決不辜負個人同時改造整個的社會也只是一種夢想人應當克制自由的私慾極力維持現社會底秩序——在這次的聚會上只給我留下了些滑稽的回憶一位表示很熱心的大塊頭的先生在堅決地說中國非有一個馬志尼不可但是接着卻又用疑問的口氣說不知道馬志尼底學說是不是和盧俊一樣若是一樣那還是沒有好

179

些會暨一向便患着有消化不良的口臭病，他一點也不怕妨礙別人涎沫四溢地在申述

着他終身的志趣是要學他的同宗曾國藩，

就是在這次聚會中我得以知道了那般未來的國家主義者正在聽從曾暨底指揮

和一個住在國內的會員起着嚴重的爭鬥，這個會員就是後來在大革命中有最大的聲

望並且在不久以前犧牲了的鄧台耀。在那時這個革命者已經和那般先生在思想上

以敵人相見了。我還記得爲的是台耀發表了一篇論文一篇說青年應把身子放到工農

方面去的論文還在曾暨看來簡直是一把關破神經中樞的斧頭，大概就是從那時開始

曾暨纔用對仇家的眼光注意起「工農」這兩個單字合起來的名詞了以後他是發瘋

一樣地毀罵着工農方面的勢力幾年後又在國內正式地把他底恐怖病寫在地主辦的

「醒獅週報」上與新興政黨作戰。

現在我們還是回到前面所說的事件上去。我爲帶均給曾暨和『少年中國學會』

180

流溪　一頁

底幾個人寫了信以後我忽然覺得身上輕鬆起來了那幾封信就是我給那般人的最後

通牒從此兩方面便斷絕了所有的關係若果我底記憶不錯就從這時起一直到目前我

是再沒有再見過那般先生中之任何一人不過問題還不止此還有我從這時起也和帶

均結束了以往的交誼在我覺得我替帶均充當了這次律師已經可以報答他當我初到

巴黎時幫助我的種種好意以後實在是再沒有繼續和他做朋友的必要了我這時的精

神好像是突然起了一種變化──突然堅強了起來我覺到了我一身的孤獨決計要以

十二分的努力去作自己生活中的安慰問題即刻逼到了我底腦中一個人在這個複雜

的社會中要不斷地經歷這樣多的變故一個人和別一個底心情相差得這樣的厲害…

但是怎樣去了解呢怎樣去解釋呢苦味的疑惑搖撼着我終於我把我拉到哲學底領城

裏來了。

一天，我在我新搬來的拉丁區底一家小旅館中開始了我底哲學的研究，我把我許

181

多生物學書籍統統賣給了塞納河畔的舊書舖連我從日本帶到上海又從上海帶到歐

洲的幾本日本文的『解剖學』『遺傳學』等等都一起加在內面這樣所得到的一點

錢我拿去從新買了幾本哲學的古典書籍我和那些"Paramaecium" Lelitinotarea

dicemlireata" 作了暫時的告別把我底腦力移到了施比諾沙尼來康德底身上我德

文的知識也便是在這時整理起來的。

智識底大海展在我底面前了我渴了一樣地在吸着那大海中的水滴整天地幾乎

連飯也不吃我常常坐在圖書館中爲一個名詞或一個熟語去翻閱着那些裝釘得很古

的經典那種儲藏古今人類思想底精華的聖殿,對於我是特別有一種引力我一走進到

那兒便再不願走出有時爲了麵包底斷絕我要寫些法文的短文章寄到 M 城底週報去

的時候,也好像只有坐在圖書館中纔可以寫得成功……

若果我對於一兩百年來的脊產階級學術底系統能懂得一點,那就不能不說是這

182

流淚集　一　頁

時期的功勞先是德國十八世紀奔放浪漫熱情的幾個哲學家拉住了我；可是不久我便

又在費兒巴哈底著作之前低頭由實證論者的孔德涉獵了下去我知道了載納居友和

其他的人當時我心目中便定下了一個思想底歷史行程的系表——我把近代學術底

進展劃分成了三個時代第一是精神論和觀念論支配着一切形而上學是這個時代底

唯一根據第二是經驗論和進化論支配着一切生物學成了主要的科學第三便是唯物

論的時代自然是經濟學作了基礎這個劃分的形式一直到現在我還沒有發現有大錯

誤要是從十八世紀初葉算起時那我這個系表中的第一時代底階級背境恰是從封建

階級到資產階級第二時代底階級背境則純粹是脊產階級第三時代自然是新興階級

了這個或者機械了一點但是我敢說我當時能有這樣一個學術上歷史進展的觀念便

是我後來能徹底轉變方向的注腳。

　本來是解決自己所懷疑的人生問題結果卻是沒有做出自己所要得的答案儘僅

183

我還記得是把尼采讀完不久的時候，我感覺得這位強者的哲人底理論恰和托爾斯泰

是分成了南北兩極，我就想在這兩者底中間採取一種適當的態度作為我底人生哲學。

我把這種見解曾做成了一首長詩用了『與二大哲人的對話』這個題目內容是敘述

我在幻覺中先看見尼采繼又見了托爾斯泰在許多冗長的會話之後尼采在我底左邊

消滅，托爾斯泰在我底右邊消滅我在他們兩個遺留下的巨大足跡底中央前邁了去這

首詩好像是佔滿了十多頁甚至二十頁的狠大的原稿紙並且能夠避開觀念和教訓的

堆湊音韻的技巧也不算太壞我把牠寄給了當時上海『時事新報』底『學燈』副刊，

不料被編輯者壓了下去沒有使在我底切望中出世但是不知道是甚麼緣故隔了兩年

以後卻又突然被發表了不過這首詩底命運卻總是不幸的牠竟被『學燈』底編輯者

割去了十分之九的血肉，把十多頁的一首詩刪成了不到一欄的幾行速寫同時遠沒有

印出作者底名字使人看去好像是出於編輯者底手筆一樣。我寫信到『時事新報』要

184

流浪一頁

求把我底原稿退囘但是沒有答復。我底人生哲學就這樣落在了空虛的墳墓裏。

　我正式從事了文學的創作也就在這個期間！　本來我著作家的生活是開始得

很早的距離這時將近十年了的當我正十三歲的那年我已經是本省「秦風日報」底

投稿者之一以後在十六歲時又是「秦鏡報」底唯一的負責編輯入文學底醉人的杯

子一向便在我面前閃着牠可愛的泡沫那時我還很清楚地記得我在日本時那種努力想在

過去舊文學中佔領一個坐位的慾望那時我曾經用了一種地方藝術的觀點給

李商隱注釋過半部詩集在上海辦報時雖然處於那種極端的政治氛圍之中我卻還是

不肯和文學絕緣並且新文學的試作的慾望在那時便跳動在我底手指上了不過這些

都不算甚麼要說我真正是開始文學的工作，那卻不能不從我在巴黎的這時算起。

　一切現象都有牠們底因果關係，我所以能在這時正式走上了文學創作的一條路

上自然也是很容易解釋的事情過去在賣生活中滾來滾去的我自己努力的目標本是

185

在政治上的，而結果好像是一點都沒有得到自己所希望的影子；這個失望的苦悶會把自己拖到另外一種方式的活動上去。——這是一層原因。在這時我算是過着一種由混亂的東方遷移到所謂文明發達的國度裏的生活這生活給了我以環境上的變化，而在這個變化之中又有一種矛盾的刺激這使我要尋求一個表現自己感情的機會。——這又是一層原因。其次我由蓊雲得來的許多痛苦也在逼着我去發洩不消說也是使我走到文學創作方面的一個附帶的理由。但是這都是僅僅從我個人際遇上出發而來的解釋要是從整個的時代來說那這時中國底浪漫運動正要起來，我不能夠否認我也是這時會中之一人所以必然地一向傾於文藝的我在這時要有創作落地。

在中國前世紀底九十年代中是一個重大的時期、民族覺醒的曙光資產階級底抬頭，城市文化運動，一切一切都從這個時期開端我們拋開中日戰爭本事所佔據的一八九四到九五的兩年從一八九六算起一直到大革命前夜的一九二五，恰是整三十年。在

186

—— 202 ——

流　況　一　頁

這三十年間政治的活劇真是演到波瀾嬰詭的地步承繼資產階級自由運動的「戊戌

變政」這一 Prologue 而來的『五四運動』狠狠切切地是一個發揚「戊戌變政」的

Sym ph nie。在這個偉大的曲奏之中資產階級把牠底思想算是給了全盤的解放

和企盤的建立對於偽制度的猛攻，對於扎孔學說的推翻「科學與德模克拉西」口號

的提出…同時文學工具的改革也挾着高潮的勢力而來──這樣一個資產階級底文

化基礎在我們面前成立了在這個文化基礎上一定會有一個文學運動立刻跟着產生，

並且必然地會是一個浪漫運動。

一九二二年便是中國文學底浪漫運動開始的一年，擔負這個使命的便是「創造

社」這一文學團體──而就是在這一九二二年底前一年 "Sturm und Drarg" 底

成分便在各地蠢囊起來了。

這在表面上好像是一件奇怪的──但實際上必然的而不是偶然的──舉體當

187

我在巴黎開始了我文學創作的時候遠隔重洋的日本便有郭麥弱幾個人在作着同樣
的工作並且還準備聯合同志以互相交換意見和共同努力。一天我接到日本的信
把郭麥弱介紹給我并且附了他的一首詩的創作以後又經了幾次的間接通信我和郭
麥弱之間便變成了直接的關係。『創造社』的這個名字便在大家底信中常常返復地
提說着。不過在日本和巴黎還未曾開始這樣的通信以前從日本從巴黎寄出的作品卻
都早已飛躍在國內的各種刊物上了。

這時我給鄭白基的信上寫道：

『是的，人生處處是罪惡處處是痛苦但是要知道罪惡痛苦都帶着有催人前進的
意義我敢說天下事都是兩面互相影響着的，最反對的方面也就正是給了很大的力量
的方面沒有矛盾人類要成就事業大概是不可能的所以我們不要當經過「不完全」

188

頁一　派流

時，忘了去求「完全」……

　　『我先批評一點別人底藝術我們先就日本底文學來說，像夏目漱石底「餘裕」派的文學那決沒有甚麼價值。因為我們既是人就當製造人生的文學，像他在高濱虛子底「鷄頭」序中宣言的「不觸着之小說」無論很難做到——就是他自己底小說又何嘗都是完全不觸着的小說？——卽純粹做到這等地步也不過是一種無用的作品。換過來說我以為就是他主張的「低徊趣味」也只有「觸着」人生的小說纔配有他底餘裕派的文學其實就是游戲派的文學那是會使文學一直地墮落下去的。還有像森鷗外更是沒有道理他公然表明他是無論做什麼都是游戲這個，我們暫且不要說到藝術，首先就不是做人的態度…

　　『我總覺得藝術的製造應該站在實際方面，我們底實生活已經很夠用了。若是我們身邊的材料都不知去用而在身外去尋求藝術那是糊塗而可憐，再進一層說藝術並

189

不是人底娛樂品，藝術是促進人生的改造的一種工具；藝

術是還爲安慰人底前途⋯

『我們可以得一個結論，人生就假定是沒有希望，文學家也要努力去觸着牠。就是

人生眞已達到像永井荷風所謂「冷笑」的程度我們也不能學森鷗外那種用游戲去

應付的辦法人生底「不完全」便正好使我們去求「完全。」⋯』

在這些話裏，可以看出我這時是以我相當混亂的哲學觀點去檢討着藝術的這些

話裏所含的理論雖然和我後來一部分創作裏的表現像是有些矛盾但是這兒却活罐

着一點時代底精神那便是浪漫時代底一種氣息的洩露尊重人生這正是資產階級開

端自由運動時所奉行的信條我們知道狄德盧曾勸戲劇家不要離開實際生活同時又

主張藝術底任務是在讚美壯偉的善行和敬惜可憫的際遇等等這正和我這兒底見解

190

流浪一頁

是完全一致。

這時我最努力的作品是一首長詩「支那」在這首詩底題目下我還用了 "Par-
adoxes autobiographiques" 這樣一個小題目內容是用中國封建社會中許多悲慘
的現象作背境敍述着我從幼年一直到壯年的生活這首詩裏面所流貫着的熱情一直
到現在還使我一想起身上便要來一種顛慄我還記得牠底最後一段中有這樣兩句:

一千九百六十里的長江呀你怎樣還不氾濫上來,使我連所有的靈魂一齊淪
亡?

二萬五千尺的天山呀,你怎樣還不倒下來,倒下來塌在我底身上?

若是說浪漫主義的特徵是 Individualism 底抒情的發揮時,那我這首詩確是做

191

到了。一面，我在這首詩裏還用了許多科學名詞像 "Fluorescenzphnenomen" "Faktorenkoppelung" 等都算是打破了一向的慣例現在我記不起這首詩共有多少行，只記得我把牠寄出的時候是捲成了一捆幾乎像一本小冊子一樣地。走到日本經過幾次展轉地傳閱以後又由日本走到上海以後便失了蹤跡。

這時我在巴黎認識了一位和我很有幫助的朋友，不可不在這兒把他特別記了出來，這個人是我們通常所說的『奇人』他底姓是卜里葉名字是法國人一般常用的羅伯兒他本在外省一個圖書館中充當着祕書因為他底思想是接近 Marxism 的社會主張的思想所以被當地政府逼迫着他離去了職位他底一條左腿已經被大戰奪去他在他失掉了的腿底位置上裝置了一條假腿走起路來總扶着他來去的領域是非常的廣泛除了工會和政治集團而外大多數的新聞記者文學家藝術家教授學生都和他於他底殘廢並不去怎樣關心每天只是很有精神地到處跑動着他好像是對一根手杖可是他好像對

192

沅流一頁

有私人的關係。他底博學也是很夠使人吃驚他不但一般科學有相當的素養並且還具有特殊的文學上的才能此外他還懂着音樂繪畫建築等專門藝術。但是還不止這些因爲旅行的地方很多他語言學底知識也是很好的所可惜的便是他具着一種不愛著作和有著作不愛發表的脾氣他是可以費上盤天的工夫用口囘答人領教他的問題而不肯提筆寫一個字。他一生出版的著作只有薄薄的一本地質學上調查的小册子。他也從事於戲劇的創作，但是一直到原稿變成了黃色還不曾和社會上任何人見面他幾乎是把他所有的精力都送給實際的活動他好像以爲所有的文學的工作在一個社會未曾改造以前是占着十二分不必要的地位似的，他對我的幫助很大，不但在學問上他是我底金庫，就是我得以對於歐洲社會有一點表面的認識也是他底功勞他介紹了我許多朋友生活方面也蒙他常常地接濟這位社會主義者的奇人算是和我前後往還了不滿三年便死於 Tyrhus bdominalis。他一生獨身死時大概是五十歲的光景。

193

我和這位朋友初認識的時候是在拉丁區底一家咖啡館裏面他正和一個滿口白

鬍鬚的老頭兒高談我無意地加入了他們底關於歷史的辯論我底論點不期和他站在

一條線上並且越說越接近了起來這樣我們便很快的成了朋友那位老頭兒原來便是

法國文學重鎮的阿那托爾法朗士在辯論散場的時候這位偉人儘管地聳着肩膀表示

自己失敗後的憤怒並且口裏還不斷地咕嚕着說「不管怎樣我總是懷疑懷疑……」

我懲了卜里蕘底介紹還得以認識了海洋作家羅狄和其他一些文學作家立刻文

學成了我環境攜成中之十分之七八的原料我放棄了在法蘭西學院裏的哲學講座我

在巴黎底文學家之羣中交際了起來

這時巴比塞底『光明』週報正由一張狠小的報紙改成了雜誌的形式巴比塞一

篇批評羅曼羅郎底主義的文字激起了一場誌戰羅曼羅郎表示出了他改造社會的主

張他以爲甘地所取的手段便是唯一可讚美的手段人道主義與暴力革命的主張在雙

頁　一　湉　流

方文字中狠顯明地爆着牠們底火花這在我羅曼羅郎和巴比塞都不曾見過面一向羅

曼羅郎是我表敬意的現代作家之一而這次我卻像被巴比塞吸引住了。但是同時我卻

像感覺到巴比塞底文字中缺少一點甚麼成分。不過我又不能明確地指出這個現在自

然明白我所感覺到巴比塞文字中缺少的成分便是階級鬥爭的歷史發展和經濟決定

論的說明……這是巴比塞這人一向的缺點,直到現在爲止他底議論中還常充滿着觀

念和神祕論的癔氣我敢說,巴比塞要是再不前進一到歐洲偉大的事變到來時那他是

狠危險的因爲戰鬥的唯物論底歷史的進展必然地不能容一個不理解人類解放過程

的說道者底存在的巴比塞過去所有關於革命的議論我總覺得有些地方和馬克斯所指

摘過的鮑埃爾有些相像。

　　不過在當時巴比塞和羅曼羅郎底論戰卻是一個現代文壇上不可泯滅的事實這

個至少在智識界面前展開了社會思想之兩個派別,至少可以使智識界對於空想的世

195

界主義和實際社會革命的主張有一個思索的機會在當時不成問題地凡是頭腦明晰的人一定會從羅曼羅郎底言論中認出了不相信暴力的人道主義在暗地和資本主義攜手的陰謀這場論戰確算是搖振了一時僅就我在巴黎出入的幾個文學家底集團中便可以看出這種情形幾乎是十個人有八個人總談論着這件事的但是這兒還得有一點聲明所謂搖振一時却只能限定一般和一向傳統社會有些隔離的人文學家像阿那托爾法朗士和羅狄便就不同我去問法朗士關於這事的意見時他和我第一次在咖啡館遇見時的態度一樣結果是他對於任何方面都要懷疑羅狄則更乾脆得狠他對我說他從來就不管這些徒去自擾的爭論，——像這類的人是怎樣也不會受這場論戰底搖振的。

說到羅狄和法郎士，這兩個在法國文壇上佔過極大勢力的人物，或者讀者願意我在這兒多說一點。不過這在我卻是狠困難的事因為這兩位巨人和我目前的心境太不

196

流　浪　一　頁

相同，要去追記他們實在使我感覺不到甚麼興趣的記得有一位批評家說**羅狄描寫勞**

苦民衆底生活正和高爾基一樣這是大錯特錯**羅狄**底作品我從前也曾拜倒過一時他

底充滿詩意的描寫確是能夠使人迷戀但是狠奇怪的是**羅狄**底作品能夠那樣不含蓄

地描寫**水手漁人水兵殖民地兵士**等等底生活，而**羅狄**本人卻始終是爲帝國主義政府

服務的一個忠實的官吏他自己居處底奢侈和他性格底貴族也和他描寫下層人物的

一部分作品好像沒有聯繫的可能這個要是用得着我們來作一番解釋時那便是這一

位巨人只是**站**在他自己階級底圈子裏面去流覽那般勞苦民衆底生活的。他留意勞苦

民衆底生活只是**爲**找他做詩的材料他同情於那些人也只是站在上層的地位去**淺踏**

的一點悲憫的情緒或者可以說他听以爲他著作採取那類材料只是想適合於他自

己已有的憂鬱的心情只是想適合於他自己習慣的陰暗的**筆觸**總之爲的是他自己此

外再沒有甚麼了我們不否認他是一個偉大的作家但同時也不忘記他是一個徹頭徹

197

尾的資產階級底偉大的作家。他雖然一樣在描寫着勞苦民衆底生活，但無論如何是不能和高爾基相提並論的。——好，這便是羅狄其次法朗士，這不消說更是一位世界的巨人。他底文學的才能確是不可多得他底機智和駁雜也確是能夠出衆但是這些可稱讚的特點卻不能掩飾他主要的意德沃羅基底貧弱他一味的嘲弄着世界他用個人享樂的態度從事着他底製作，他把一切事物都納於他懷疑的哲學底懷中。我們可以說在的智慧這是一點也沒有錯誤他自命是社會主義者他底作品雖然有時也在攻擊着社法朗士底面前甚麼都要失掉了牠底眞實性了正確的批評家說他代表資產階級臨終會底現狀但是我們到頭還只能把他供到資產階級底神堂裏面去記得一位俄國底作家到巴黎會了法朗士後寫道『全身柔軟…具着亨利四世等所喜悅的廷臣底姿態…』

——這印像不但是恰切並且還是妙到不能再妙了。

我和這兩位巨人的交情自然是都談不到甚麼親密羅狄並不常到巴黎見面時他

198

流浪一頁

總喜歡說到東方尤其是中國，他好像始終還不忘記他早年浪游過的地方，用一種詩人咫憶的神氣他總在不停地追懷往事．我們之間沒有過甚麼特別的事迹他看我是一個年輕人，我對他也不曾抱過分外的希求同時他那時也已經像是有些衰病了．法朗士底家中我倒是去的次數比較多點。這位懷疑派的大師有時要我譯幾首李太白底詩給他聽，我也從他學得了些法國文學史上的智識。有一次他邀卜里葉和我聚餐坐中還有一位是西班牙底名人伊巴涅支，——在我這算是看見伊巴涅支的唯一的一次這人和法朗士恰是一個相反的人物滿臉上突霹着自負和剛強的神彩眼邊和唇邊閃出了政客甚至官僚的習氣席間不知道是怎樣開頭，法朗士忽然暢談起了社會主義並且說自己是一個包爾塞維克．他底話好像狠長越談越起勁。我注意着伊巴涅支，這位露骨的民族主義者起初在一聲不響等到法朗士底話講完後突然爆出了一陣憤恨的喊叫我不禁吃了一驚用着西班牙音尾的法國話這位民族主義者說道

199

——收起你底包爾塞維克罷！你憑甚麼能坦白地講這個名稱呢？我只知道共和，不知道甚麼包爾塞維克⋯但是你若是要自命是一個包爾塞維克時，那你先去進幾次牢獄後再來誇張⋯不然不然我勸你還是談談女人和酒比較好些⋯

出我意料之外的是法朗士聽了這話一點也不生氣好像只簡單地答了一句，說他本來對一切便是懷疑意思似乎是說就是他自命也是一員的包爾塞維克到頭也還是使他懷疑所以他儘可以不去行動不知道是一個甚麼念頭在我心裏起了一下從這次以後我便對法朗士疎遠起來了。

這時華盛頓會議已經開幕，中國除了政府底代表而外還有幾個國民代表。留學生對於那幾位國民代表與奮極了，以爲他們一定可監督政府底代表使中國在華盛頓會議得到狠大的勝利，有些人組織了一個後援會留學生和華僑在主持着會事到處去接見

200

流 源 一 頁

各國底政府要人，到處去發布請願的文字⋯還有許多留學生在互相聯名做些文章，在歐洲幾種報紙上發表內容大都是一致地擁護參加華盛頓會議的各強國同時在肯定英國和美國一定可使中國有種種的便利中國底國民代表也不停地從華盛頓打電到美洲底公使館及其他團體報告說英國和美國——特別是美國一定會出全力給中國以援助⋯

朋友邀我去參加後援會，我當時雖然還不能徹底明瞭世界大勢，但是對於各帝國主義的幻想却是一點也沒有。中國所派的幾個國民代表對於我更是距離太遠：我覺得他們並不能代表甚麼國民不過是幾個新的官僚罷了。我覺得沒有把自己精力獻給這個無意義的運動的必要。

當英國和美國在華盛頓會議對於增加關稅，退囘租借地，考查撤消海外法權等提案給了中國代表一點假的面子的時候，在歐洲的留學生都好像高與得忘記了自己中

201

國駐美的名流政客都狠自滿地宣傳着說中國從此便會政治獨立新的轉機便要降臨，

——說起來可懼得很那些名流政客只顧着一時說得大快人心，可是等到以後旅順大

連威海衞等地事實上不見退囘治外法權依然照舊連二五附加稅的實行也感着困難

的時候他們卻把腦袋一縮一句話也再不提起了當時中國底前進政黨纔開始成立難

然對於華盛頓會議前途已經有了預先促醒民衆的宣言可是一般人對於帝國主義

還沒有明白牠底眞象之又有無恥的名流政客等底欺蒙所以竟至像服了麻醉劑一

樣的糊塗。一直到現在那些對於華盛頓會議做過禮拜的中國底資產階級遠要避提

起這次會議所造成的英國美國和日本共同侵略中國的這一歷史的事實這簡直可以

說是「喪心病狂」我們必須承認華盛頓這次會議使英國帝國主義和美國帝國主義

底對華政策得到了成功這是以後英國美國日本……這三個帝國主義者更進一步為

佔有中國去演那不斷互相衝突的武劇底一個開場白。

202

夏一渦流

那幾個國民代表中有兩個從華盛頓到歐洲來了，巴黎底留學生在大規模地準備

著開歡迎會，朋友又來邀我參加，這次卻使我發了脾氣我老實不客氣地說我與其和那

般代表周旋倒不如找彩雲開開心去——！這話成了當時幾個留學生提到我時常引用

的成語，就從這時起我便好像成了一部分自負為愛國者所妖視的敵人了。

歡迎會終於得很是熱鬧代表們底瞎吹留學生們底騰捧…昏天昏地…

可是我卻實在去了我底話恰在這時我去到了里昂

203

楊 貴 妃

佛殿之後方。

場上有窗格的紅門依然緊閉。

石塔對面牆缺處底大席依然時時被風吹動。

天氣漸入了昏暗。

第一侍者與第二侍者同立塔上。

205

第一侍者

風還是這樣的大並且簡直變成狂吼的了⋯我真不曾見過這樣大的風⋯你看，你

看滿天都是黃沙都是黃沙⋯

第二侍者

其實天上還有太陽不過顏色太暗澹了⋯那好像是一個土色的盤子一點光彩沒

有的懸在天上真奇怪牠怕要墜落下來呢⋯

第一侍者

那是太陽底影子⋯可是這樣的天氣真是可怕，我想除了共工和顓頊大戰的時候，

怕也再難見這樣的天氣罷⋯

第二侍者

可惜詩人李白不在這兒他若在這兒遇着這樣的天氣，必定可以做成一首悲壯奇

206

妃　貴　楊

特的長詩。

第一侍者

算了！你還講甚麼詩人？詩人都是些無用的廢物！我們長安底詩人不知道有多少，但是，現在呢？…他們只是當着國家無事的時候唱一唱他們作夢的歌曲可是一到了時代轉變的重要期間便只去求個人底平安民衆和他們好像是完全沒有關係的！…你說就是會被一時稱誦的甚麼「清平調」到底有甚麼用處到底對於民族對於國家有甚麼用處呢？…

第二侍者

…你說到這層我倒想起宮中的那般梨園子弟，不知道現在都是怎麼樣了？…

第一侍者

哦，梨園子弟那般專門向權貴賣笑的人，還不是同時下的詩人一樣！

207

第二侍者　你怎麼只是在信口罵人？你底性情眞壞眞壞…

　　　　　　（盧嬺上）

盧娘

你們倒很安閒還在這兒發些無聊的議論，你們可知道現在貴妃底情狀嗎？

第二侍者　哦，貴妃怎麼樣？

盧娘

貴妃已親自向兵士宣言說她願意尊重羣衆底意思，爲國犧牲，高力士已拿了一條

很長的白綾還帶了兩個執刑的人正在佛殿內邊等她呢…

第一侍者

208

楊貴妃

啊，她竟然有這樣的勇氣！

盧娘

並且她到外面看那些難民去了。她要在她生命告終以前和民衆作一次誠懇的接

近……

第一侍者

啊，這眞難得這眞是我所料想不到的！

第二侍者

……聽誰來了？

盧娘

哦，是她底脚步……

（楊貴妃由殿前緩步走來。她底眼光一直向前，揚着頭像是向空中尋着甚麼似的。一種異樣的病

209

態的沈寂，決絕表現在她底沒淚洗得完全沒有了血色的臉上。第一侍者，第二侍者及宮娥都屏氣致

敬）

楊貴妃（好像很久沒有說過話一樣，聲音枯塞得快要半啞了。帶着一種神經的劇變，她勉強

地斷續地向着前面的天空訴說着）

這兒總可以看見總可以看見…那遠處，那遠處…是這個方向了，那遠處霧濛濛的

一片，是的是的——！唵，長安呀長安！我們要永別了！你底繁華你底偉大我至死追念着，

至死傾慕着我。我知道我底罪過，我知道我現在是應該這樣死的但是，長安呀！我始終愛你

我始終愛我們中華民族我是只要你健在只要我們中華民族健在我個人底一切是儘

可以取消儘可以滅亡的…唵，長安呀長安呀我們要永別了！你是我們中華民族產育文

化的都城你是我享受人生苦樂的地方我因你成就了我過去種種的生活和最後的人

格，你也因我增添了繁華富麗又陷入了荒廢敗傾…——唉我也不知道我怎樣成了這

210

楊貴妃

样一個與民族有關係的人！……但是長安呀在你那里我驕傲過，嫉妒過，在你那里我受人崇敬過也受人指謫過並且在你那里我歌過我不願意歌的舞我不願意舞的做了許多忍辱的事許多強白爲歡的事不過在你那里我却受過眞正愛情的陶醉眞正愛情的甜蜜眞正愛情的熱烈和眞正愛情的痛苦……（她突然止住了她底説話；她底眼光改變了狂亂的方向，向遠處望着了一刻，最後乃叫出了一個方向，很興奮地叫出）——哦哦那兒是河東哦哦，那兒是河東……安祿山安祿山安祿山……咳别了别了永遠地别了！現在你那裏知道我是這種情形你那裏知道我底哥哥我底大姊我底三姊都慘死了呢！並且你那裏知道我馬上就要絕命就要和人世底一切告辭但是這不是你底失我知道你是愛我的你是千眞萬眞的愛我的……（昏迷的態度）哦哦安祿山我看見你了我看見你了！我看見你正是全身的武裝騎在馬上正指揮着你周圍成千成萬的戰士……哦哦你眞英武你眞英武，我知道你那狂熱的血液中正流着愛情的溫柔生命……哦哦我愛你，愛你你那雄偉的身裁，我

211

你那強健有力的氣魄使人一見就感着愉快與渴慕⋯我也知道你不是我同種的人，但

是但是我總覺得全中國底人都沒有你那樣能使我感着愉快感着渴慕的！我總覺得惟

其你不是同種的人纔更覺得可愛！⋯——

決了你們兩個在世界上就是這樣的衝突難道你們就永遠不能調和，永遠要犧牲着無

數的人類⋯——咳，總之別了，別了⋯安祿山安祿山你現在雖然還是那樣的英勇那樣

的奮鬥只怕一得到我死的消息也不能再生活下去了⋯

（高力士上）

高力士（悲苦地）

貴妃甚麼都預備好了⋯前面底兵士催得很緊急呢⋯

楊貴妃（梗塞而昏亂的腔調）

咳，時候到了我知道時候到了！⋯長安⋯河東⋯中國，哦哦安祿山安祿山，我底力，我

咳，愛情咳祖國我被你們兩個苦悶到不能解

212

楊貴妃

底光明，我底生命…我底生命爲祖國死…爲愛情死…死，死…

（突然一陣大風，吹起很厚的砂土，迷罩了場上人底面影）

213

鳳　儀　亭

鳳儀亭

董卓府中之後花園。

場上設園之後門，由此門可看到園內。園內有亭聳立，亭上有匾，舊「鳳儀亭」，但幕啓時為

夜色已降之時，故匾上字隱不可見。

呂布從園外登場

215

呂布

我已經等了她兩晚了。咳！這種滋味算是我今生第一次纔嘗到的：這簡直要把我難

過死了我纔知道一個人等着和他底情人會面是怎樣的一個情形咳！這兩晚我在這兒

腿也站酸了，頸子也伸痛了，見一條黑影便以爲是她，等到趕上去的時候却又撲一個空！

再這樣等下去，會把我等成一個精神病的人呢…可不是我現在怕已經有了精神病了

呢！我底耳也鳴起來了，眼也花起來了，——哦，兩夜底成績…說老實話，我這兩夜所受的

苦比甚麼都厲害呀奇怪我會在戰場上幾夜都沒有覺得苦過只有

兩夜却弄成這樣呢——！但是這有甚麼要緊嗎？我心中却始終是很高興的！這種苦

纔一到我身上來時便有希望也來把牠底力量同時送給我，我立刻便覺得我底身體非

常強壯並且有抵禦一切苦的本領了…——且住我想那個怪物婦人總該不至於把我

那封信壓下不送罷若是眞的我那封信被那個怪物婦人壓下了，那纔眞是要命的哩不

210

過，我想不會…—哦，是的呀今天是十五呢。今夜是月圓的時節，貂蟬她說不定會到園

中來拜月的…對了今晚大概是可以見她可以見她對對今晚今晚…不過呢現在怎

麼月亮還沒有出來喲今晚天上有些雲呢討厭妙的在今晚天上却有些雲…—咦，不，

這雲或者不大礙事等一等會破風吹散的。並且月亮已經露出些影兒來了…—哦快

出來罷我底救命的月亮！你不出來她是不會出來的！…哦，她她就是我底月亮我在這兒，

我在這兒是个望着你這個月亮去引我那個月亮呢！

（李儒由後方！）

着！

李儒（拔出劍來由呂布身後猛研了來。）

呂布（避了開去，急亦抽劍轉身相向）

是那一個？

217

李儒

那一個？你這對淫眼連你應該怕的人都不認得了嗎？

呂布

啊，李儒…你要怎麼樣？

李儒

你要問我嗎？那麼你聽我說：我從娘肚子裏出來的時候，便帶着一種怪脾氣凡是我喜歡的東西不願意別個去碰牠一碰要是有人犯了我這種忌諱那我總在我力量能做到的以內要使那個人去吃些虧的。

呂布

你說這話是甚麼意思？

李儒（不願）

218

鳳儀亭

等到我長大了的時候我這種脾氣便也跟着我底歲數長大了我。但是不久我便發現我家中曾有一個婢女，是從江東買來的一個很漂亮的女孩子不知道怎的我愛上了她。和我一個常到我家中來的我底同爺也在想和她勾搭於是我便在一天下圍棋的時候，和我那位同窗反了臉用我身上帶的一個短劍把他剌死了。

呂布（插劍地上，以兩手叉腰際昂首怒視李儒 ● ）

你是在向我報你底履歷嗎好說下去——

李儒

一直到我到西涼從軍的時候認識了一個歌妓她底名字叫做小鸞，唱得一口好哄飲和好蔡鑼。不料被一個人把她結交上了那個人或者你也曉得他姓馬，名叫備僕，是當過幾天虎賁中郎將的那總算是一個有來歷的人了，但是因為他愛了我所愛的人，所以我就不管三七二十一起他剌死在一個橋頭上了。

還有嗎？

呂布

李儒

還有前年我在洛陽的兩件事，你也不妨聽聽。一次，我被一個美人迷住了：可是那時我底夫人還未曾去世不知道怎麼樣弄的她竟然知道了我那個事情。因為你要曉得牽扯個美人拆開她便買通了我底一個朋友要他也和那個美人去要好這個當我去的時候我就的還有我底夫人的但是我不管當我碰到我那個朋友到那個美人家中去的時候我就拔出劍來把他殺了再有一次，我好像是上了一個當，我對一個不愛我的婦人有了情意了。那婦人是一個天生的妖怪在人前一味裝出假正經的樣子，其實却是一個專偷男子漢的老手後來我調查出了那個在洛陽出名的勇士叫做魯化的是她底情人我便在一天晚上去找那個勇士和他鬥了約有半個時辰，但是結果也是我把他殺了。

220

鳳儀亭

呂布（强自忍抑）

你說完了嗎？那麼請你再把你說這些話的目的解釋一下給我聽聽。

李儒

你這頭腦眞的塞滿了淫亂就好像壞的雞蛋殼裏塞滿了臭蛋黃一樣竟連一點好的空隙都沒有了。難道我說了這天你還不明白嗎我底目的是爲叫你知道我一向的脾氣老實說這個高牆裏邊有一個女子被我愛着也被你愛着不過她現在是睡在一個踏在你我頭上的人底懷裏的，——這個不用說我們都在嫉妒着那個人，可是我底性情却有些傻氣雖然獨自一個人氣得跳來跳去可不願意作甚麼鬼鬼祟祟的勾當我只等着有一天能堂堂正正地把那個人砍死使我愛的女子不能不跟着我來同時呢對於同我處在一樣地位也一樣愛着那一個女子的人，也是不肯輕輕地放他過去·——這個人就是你！我說的意思是我恨你已經恨到骨髓裏去了這個有兩層原因：第一，你專門用鬼

221

鬼祟祟的伎倆去誘惑女子，在我看來是一種下流東西底行為並且你誘惑的又正是我

所愛的，所以，我非殺你不可；第二我正準備着要和我那正式的情敵作戰，在我這準備的

當兒我先得把我底脚下打掃乾淨些纔行，這就是說你儘在這兒鬼頭鬼腦地東鑽西鑽，

這是在絆着我底脚的，所以我更非殺你不可。

呂布

好那麼着你試試看罷（從地上拔起劍來。）

（二人互鬥。）

李儒（劍落地）

俺，我底劍落了！

呂布

拾起你底劍罷我決不像你，專在人手裏沒有握着劍的時候去暗算人。

222

鳳儀亭

（李儒拾劍二人復鬥）

李儒

嗳嗳怎樣我被刺了！（倒地）但是不要緊…我還可以起來的…（起來復倒）嗳嗳，便宜了你這小子…（死。）

呂布

起來呀怎麼不起呢？——（以脚踢李。）你要裝睡嗎？——哈死了！這樣快就死了！適纔還說了那麼一長串的獨白怎麼忽然就死了！…哈，你這只會說大話而沒有眞實本領的草包！你底口那樣會說你底手却怎麼這樣不行呢？你這口硬手軟的滑稽脚色現在你底口也跟着你底眼一齊閉起來了這可只能怨你自己因爲這是你來尋死的…哈我們兩個從此便再不會見面了，你也再少吃些乾醋罷。——哦，我底劍倒被你弄汚了半截去了！對不起！把你那件很華貴的衣服借來用一用好麼？（他用李底衣服拭去劍上血跡，然後歸於鞘

223

中）。借光借光！——咦，不對，你睡在這兒倒是有點絆我底腳呢…好我把你遷到那樹後邊去罷…（拖起李來。）唵，老兄你底骨頭真重呀！（丟李到牆後方底樹後，再向牆後作鞠躬狀）。恕不陪了現在我祝你安靜地休息下去祝你安靜地休息下去不陪了。（復轉身向園門前走來）。

（月光大放）

啊月亮出來了！這十五底月亮，眞是惹人愛呀現在好像世界光明起來了，我底心中也像是減少了許多黑暗…啊現在是時候了這個月亮是已經出來了我那個月亮大概也快要出來了罷？——怎麼難道她還不出來嗎就是我不約她今晚不是也應該到這後園來拜月的嗎？啊現在是時候了！——哦，我試向關門裏邊去看一看，或者她已經到園中了呢！（他走到園門口向內張望。）——咦！沒有這是怎麼弄着的？我知道這後園是接近着後廳的由她住的地方到這兒來應該是很近很近但是——

鳳備亭

（園內深處忽揚出笙笛聲音。）

後廳底那些歌女又在奏歌了⋯——哦，這月亮真是明呢這些一聲音走在了這月光

下邊，好像是分外的幽揚了⋯

（此時貂嬋已出現在閣內之鳳備帳中，她正向月跪拜。但是呂布却沒有看見她。）

（閣內深處有清朗之歌聲隨笙笛而起。）

歌聲
十五月光明，
月光天際生，
難得此良宵，
照與有情人

225

十五月光高，
月光出雲梢；
天下有情人
莫負此良宵。

呂布

好聽呢這是『十五月光歌』了。——這些歌女也真是可憐呢，她們整天整夜地地關在這高牆裏面唱了又唱，虧得她倒不覺得疲倦其實聽的人怕都要聽疲倦了她們這些人底一生就在這高牆裏面這樣消磨着下，我想她們唱的時候怕也是和着眼淚在咬那些歌詞的罷對了怪不得她們唱的這樣動人原來她們也是借着這個來發洩她們自己心裏的悲苦的……——哈！算了我被這幾聲歌聽得想起不相干的事體來了！我管

226

鳳儀亭

這些幹甚麼算了算了…不過，現在怕已經快到夜靜的時候了，她怎麼還不出來？難道今
晚都不能——

（笙箏之聲又起。）

唉，又來了！

（歌聲復作。）

歌聲

歎彼韶光兮難留：
又逢月光兮圓在當頭。
月光如水兮起人情思，
韶光如水兮一去悠悠。

227

韶光一去兮永不再還，

月光照入兮皎皎空間。

勸君行樂兮看此月光：

待到來夜兮難圓

呂布

啊，這歌⋯⋯啊，這歌⋯⋯（他把身子靠在了園門上仰頭看着月亮，好像中酒了的一般。）

（此時貂蟬已由亭中走下，緩步走至園門口。）

貂蟬

在這兒看月兒比在亭中好多了。——咳，園門開着呢⋯⋯假使他——假使他現在能

228

鳳儀亭

到這兒來時，那我一定——（她不覺走到圜門外了。）

呂布（回首）啊，貂蟬

貂蟬

…誰？

呂布（他瘋狂一樣的跪在了她底脚下，用手抱着她底兩腿用口在她身上亂吻。）呂布…我是呂布，你在這樣明的月亮底下，我知道你接到我底信一定會來會我的…果然不錯果然不錯…——啊，現在你跟我走罷我甚麼都預備好了…我們趁這夜色逃出長安去罷就這樣走甚麼都不用帶，我一切都替你預備好了…啊，快點快點…（他站了起來就要立刻抱起她逃走了。）

是我！是我…你不認得我嗎？…是我，呂布呂布…

還認不出來嗎？…我在這牆下已經等了你兩晚了，你果然出來了…——

229

貂蟬（拒絕他）

不要這樣你聽我說……

　呂布

怎麼？

　貂蟬

我並沒有接到你底信呢。

　呂布

甚麼？你沒有接到我底信？……──哦是的，那位奶奶頭一次見我的時候曾對我說過

你是不願意我當面問你這些事的……但是這有甚麼要緊呢？

　貂蟬

我不懂你底話我是眞沒有接到你底信的。

230

鳳儀亭

呂布

你總是不說……——好罷，你說沒有接到就沒有接到罷，我們不說這個了。現在我們
還是快點逃走你看已經要到夜靜了這正是很好的時候並且今夜恰恰是十五那些守
衞的甲士多半都放了假多半都囘家或者吃酒去了。快點！現在決不會有一個人知覺我
引你先到我底宅邸把我給你預備的衣裳穿起來；我有一匹好馬叫作赤兔是可以日行
千里的，我們便立刻動身讓我把你抱在馬上我們就借這照路的月光飛騎向長安東門
外馳去罷，我有出城的執照，一點困難的事情不會發生的。我們去我們去到那很遠很遠
的地方，或是濟北，或是北海，或是廣陵，或是江夏：我們去，去到那些可以使我們自由的
處所，海闊天空一任我們棲遲澌止沒有一個人敢來妨礙，你說好不好呢？……快點！我們去，
我們去．（他又上前要把她抱了起去。）但是……你爲甚麼拒絕我呢？

貂蟬

231

你說的是要我同你逃走嗎！

　　呂布，

是的，你已經是我底人了、

　　貂蟬

為甚麼呢？

　　呂布

啊，『為甚麼呢！』你還要這樣問我因為，因為我愛你呀！我愛你愛得幾乎連生命都要丟棄了，我愛你愛得把我底心臟，把我底血液甚至於把我全身的筋骨都弄得失了一向和平的作用和一向健康的能力了，我愛你愛得——哦，我不知道怎樣說的好…你，你是我底皇后，你是我底神聖，你是操著我底生存權的主宰同時你又是我底希望，我底信仰，我底唯一的靈魂…哦我愛你，我愛你，我愛你！我不能讓你被別個這樣占據了去我不

282

享儷鳳

能讓你這樣離開我而獨在，——就是因為這樣所以我近來變成了這個情形才變得像
個精神身體起了變化的人總覺得好像生命快要沒有了的樣子…哦可是可是你却是
能使我恢復我底生命的一個活力呀！我現在看見了你，我全身底和平和健康便都恢復
轉來了，不儞可說反而增加了超過和平以上的興奮增加了超過健康以上的勇敢了…
我不能捨你！不能捨你好易容今晚總使我底生命恢復了轉來，我怎能讓牠又溜溜而逝
去呢？——走能我一定要你跟我走的，你再不要問「為甚麼」了。

貂蟬（沉醉地）

真的…真的你那樣愛我嗎？

呂布

唉，你還不相信我，——我真不知道怎樣說的好！——天呀讓我會說一點罷？——我
本來想在你面前細細地訴說一下我愛你的經過，但是不曉得是甚麼道理，一見了你，却

233

不能痛快地說出來了。我，我本是一個性情很強悍的人，我素來不肯在人前輕易低頭的，你大概也知道一些：我上戰場如同上筵席一樣，我沒有感覺過甚麼痛苦和甚麼困難，只有別個來崇拜我，我却總不曾崇拜別個，我是：——唉，我怎樣說得這樣不連貫呢！——總之我是一個很不容易屈伏於八的人的。然而然而自從見了你以後，我這個性情却竟然會完全地改變了，我底強悍到你面前便像是自然消失得乾乾淨淨，我這個不會崇拜別個的人竟然在你底面前却只有崇拜，崇拜我只要看到你那麼十二分的崇拜！潔的眼睛底一瞥便覺得幸福的洪潮由我底項上一直流貫到我底全體；我要看到你底唇兒——天呀，我這荒島般的腦子怎麼總想不出一個恰當的字服形容你底唇兒呢？咳，就是你的唇兒能：你底唇兒——哦，我說的是我纔看到你底唇兒在要輕輕地開啓時，我底心便立刻簡單而嚴重地命令着我說「當心你底耳朵要接受神聖的禮物了！」這樣我便要很安靜地停止着——其實呢，當你底唇兒開啓了的時候接受那種禮物的並

234

鳳儀亭

不單是我的耳朵簡直是我底五官底全部呢哦，你底唇兒是怎樣的可以使人崇拜的呀！

——對了現在我可想起了形容你的唇兒——不還是你底口罷——我想起了形容你

底口的字眼來了你底口好像是那神龕前的香爐…咳不如簡直就是太廟裏的神龕好

罷哦，我這我怎麼能不崇拜怎麼能不崇拜呢…——唵唵唵我怎麼越說越遠了你覺得

討厭嗎？我見了你就不會說話所以說得沒有一點條理。我底意思只要向你表白出我愛

你的實在情形總之我在全中國底八面前是英雄在你底面前却是一個尋常的男子我

是再不知道怎樣說了…——不過不過你呢…你可是也還愛我嗎？

貂蟬（在沈醉中自然地衝口而出）

我也在愛着你呢…

呂布（發狂地擁抱着她）

甚麼我底貂蟬，你說甚麼我沒有聽清楚呢…你再說一遍罷。…不過，你這句話說得
？

235

我心裏好惹到這個樣子你再說一遍，再說一遍：你為甚麼閉了眼睛呢…哦，你也愛我？

那麼你回答我一聲是不是第一次見我的時候便愛我呢回答我一聲能是不是呢

貂蟬

是的呢…

呂布

哦哦，我底貂蟬我底貂蟬！你這個話怎麼像強烈的醇酒一樣，使我底精神猛然間就

醉了呢哦哦你這句話就好像夜間落在芭蕉上的露水一樣就好像四月裏的晚風在海

面上吹過時起的微波一樣…你這句話從我底耳中經過一直落在了我底心上，我底心

被牠引得不能靜止了…你覺得我的心要跳到我胸脯以上來了…哦哦我底貂蟬我

底貂蟬真的你這句話一落在我底心上我好像覺得這世界便倒塌了，毀滅了…但是你

覺得我底心在跳嗎？…哦哦怎麼你底眼睛不睜開嗎你原來你底心也是在這樣的跳呢！

236

鳳　儀　亭

……現在我底心可貼着你底心了……

（嗣內深處又有箜篌聲傳來。）

（呂布貂蟬後都同過了意識。）

貂蟬

哦，她們又要唱那個歌了

呂布

是甚麼呢？

貂蟬

一個很新的歌，是由東部緩傳到長安來的。歌中是當初牧野底一個戰士出征時和他情人底對話你購這佐唱的箜篌底調子就很特別的呢。

呂布（仰觀月光）

237

哦，這月亮真是明郎呀！這月亮用他的光明把我們侵得好像連靈魂都要融化了！你

看，我們還不是像要被這光明奪去了的樣子嗎？…可是呢，這光明把我們的影兒却吸引

在一起你看我們底影兒已合成了一個完全分不出那些是你那些是我了…哦今夜恰

恰是十五我們在這團圓無缺的月亮下邊相見倒眞是一個很好的紀念呢…——但是

我們還是快——

聽聽

　　貂蟬

——！

（歌聲又作，但較前另是一種歌喉。）

　　　　歌聲

（他和她緊緊地摟抱着，仰頭傾聽。）

238

率 僑 風

黎 嬋

「我底愛人現在我，要丟下你前去出征，

要丟下你一個人守在這兒冷冷清清，

這次怕有一個險弱的大戰，

我去後能不能夠生還誰也難以料定，

可是你這是這樣的美貌這樣的年青，

你底愛情牠會要悔恨那孤寂的光陰：

怕當我沉落在黃河的時候，

牠却已經把我忘掉並且是屬了別人⋯」

289

這一段是那戰士給他情人說的呢，下邊便是他情人說的了——

歌聲

『可愛的良人，去，快去追那前進的鼓聲，
那會引你去見那萬惡的仇讎的暴君：
他在那兒正等着你底利劍，
等着你底利劍去完成那誅罪的使命。

至於我底愛情牠是會和你一同前進，
會跟在你底馬蹄後面把你追得緊緊，
你若是真被黃河吞了下去，

240

鳳儀亭

那牠便也會追入河裏和你永不再分…」

　　呂布

這個歌倒很新奇呢，但是的確是一首好歌…

　　貂蟬

這歌叫作『牧野悲壯行』真是很能動人的呢。

　　呂布

想不到在這兒這個高牆裏面會有這樣能夠激發人的歌聲…──哦，現在時候確

是不早了，我們還是快些走罷！再等一刻，怕就不大安當…怎麼我已經對你說了我愛你

的實在情形了，你還遲疑甚麼呢？你該相信我相信我…哦我底貂蟬！你在想着甚麼事情

呢？快些走罷！不要再躭延時候了。

　　貂蟬

241

真的要逃走嗎?

呂布

我求你,你不要這樣遲疑了再就延下去真的會誤了事⋯

貂蟬（突然堅決地）

我不能這樣做。

呂布

怎麼怎麼你不能你不能跟我走嗎?啊啊,為甚麼呢?你不愛我?你覺得你住在這個高牆裏面是很舒服的,是不是你是以你這種生活為滿足的了你不願使你自己另有一種新的生活啊你怎麼纔是這樣纔是這樣呢我好容易 ——

貂蟬

聽我說聽我說⋯

242

鳳儀亭

呂布

我好容易今天晚上纔見着了你，好容易！我在這兒整整地守了兩夜爲的是甚麼？我
愛你愛到了這步田地！我要把我的在長安底一切榮華一切富貴一切赫耀的名位權力
都丟了開去我甯可失却我底官職和我蓋世的聲望却只要能得到你我這樣把我自己
當成一個專來供奉你的奴隸我這樣在你面前來捧獻我底真心我這樣不顧一切地對
你熱愛——難道還不能得到你底信託嗎？莫非你捨不得這丞相府的高大門箏莫非你
捨不得我那個又老又淫的義父莫非你所負的侍妾的名義莫非你捨不得——

貂蟬 聽我說聽我說…

呂布 莫非你捨不得別個玩弄你的那種醜態和你由受了別個底玩弄而得到的衣食住

243

居…啊啊，你『不能這樣做！』『不能這樣做！』這你是不願意同我一道的了啊啊，這就

是你也在愛我的嗎？你是口中在說你同我愛你一樣的愛我心中却是連我愛你的十分

中之半分都沒有的呢！我我眞是浪用了我底愛情了浪用了我底愛情了…

　貂蟬

你再不聽我說，我就走囘去了。

　呂布

甚麼？

　貂蟬：哦我聽我聽…

甚麼…

你底性子急得太厲害了，還沒有聽出人家是甚麼主意，便像是被火燒着了的一樣，

把暴躁的甚麼話都說了出來。你可知道你所說的話是羞辱我的嗎？——固然我這個薄

命的人是素來被人羞辱慣了的，但是在你在自命為全心全意愛我的你，似乎不宜這樣

244

鳳儀亭

來對付我……你可知道你底話已經把我羞辱得使我傷心了嗎你——你——唵你說你爲我

費了多少心吃了多少苦這個我自然是相信的，但是你那裏知道我呢我所受的痛楚，我

所受的艱辛怕比你還要多着幾倍……——自然我這個人素來便是在痛楚和艱辛中過

着日子正如你所說的一樣：我是看別個玩弄我的醜態幾乎成了習慣的了不過我却不

至於是那種自甘下賤的人，我是常常在憤恨着我由看那些醜態而得來的衣食住居的：

這個恰恰和你底話相反，我幾乎沒有一天不想脫離這種生活沒有一天不想有新的生

活底來到……這些痛楚和艱辛自然是一向便纏繞着我但是你想當到一個人在這樣的

生活中，愛上了一個自己沒有方法去實行自己底愛——想愛而不能去愛——的人時，的

那種情形那種悽慘的情形又豈是用幾句話可以追述出來的嗎？……你想，一個女子一個

從小就在人強暴勢力之下的女子，一旦有一個人能來挺身救她並且還是用他專心致

志的摯愛——！——果真他底行爲和他口中所說的一樣時——向她乞求說『我不能讓你

被別個這樣佔據了去』說『我不能捨你！不能捨你！』那她就是再怎樣冰冷再怎樣無情，也會觸着了感激的慾望的也會把她底希望投在他底脚下况且，——，我已經說過了，我曾作過那樣的人在一向痛楚和艱辛的生活中會為了『愛』而更增加了難以追述的痛楚和艱辛的……

呂布（立跪其足畔）

哦，我寃枉了你你你怨我我底貂蟬！

貂蟬

聽我說完……你若是真正愛我，你一定會聽我底話的我愛你，我是千真萬真的愛你，但是我不願你是一個沒有用的男子。——這話你明白嗎？你要我跟你一同逃走，不用說像我這樣一個從來沒有享受過真正人的生活的女子能得到這樣的一個機會若是還要說不願意的時候那不是沒有感覺便是一個太過愚蠢的人不過我們逃走了以

246

——262——

鳳儀亭

後，——逃走了以後怎麼樣呢眞的去找一個與世不聞不問的地方那樣住下去嗎？你說你願拋棄一切你底名位權力等等這個原因是爲我那自然我是非常地尊重你這種高尙的情意的但是你底事業——你把你底事業放在甚麼地方去了呢？是不是也把牠看得同你底名位權力一樣可以爲了我隨便地丟了開去呢：……不要以爲我是那種只顧滿足一己底虛榮的婦人要一個男子把他所有的過去未來都捧來作爲對她的犧牲的獻禮，——那個在我看來要算是一種莫大的罪惡的也不要以爲我是容易被那種超乎一般的爲「愛」的行動所陶醉的人竟可以盲目地一任猛然間的狂熱帶到任何地方去。

——聽說秦時趙高弄權的時候，有一個勇士叫陶嬴他底英名和那伐匈奴建築長城的蒙恬不相上下。趙高暴虐專橫他是早就憤恨了起來的；當時天下底人士也都在熱望他能代民衆誅殺那個罪深惡極的元凶但却不料在那個時期他熱戀着了一個咸陽城中的美女把一切國家底大事都置之不顧：聽說有一次那個美女把她底玉簪失落在咸

247

陽北門外的河川裏面他竟然費了三晝夜的時間給她找了囬來。結果是她信託了他底

熱戀同他離開了關中不知道雙雙走向甚麼地方去了！——這個故事依我看來實在是

最無聊的若果我是那個女子我決不會信託那樣的人物像那只爲了一己底愛便把一

向對無量數民衆應該負的責任賣掉若要我裁判那個男子時除了『喪心病狂』四個

字沒有別種批語可以加在他底頭上的。我要是遇到那樣的男子假使我在愛着他，我就

要勸他改掉他那種行動若是他不能夠改掉就是他對我的愛再怎樣的真實再怎樣的

放出了些神奇的動人的色彩，都不會使我傾心，使我滿意；就是我再怎樣情急地愛他也

要向他表示拒絕也要把我已經給了他底愛努力地收囬來的…

呂布

貂蟬：

貂蟬

248

鳳偶亭

我想你會明白我底意思了呢……──你覺得我底性情有些特別嗎？其實我本來也不是這樣的呢，當我還沒有來到這個承相府的時候，常被一種希求自身幸福的幻想所支配常做着想借重大事情來幫助個人前途的迷夢老實說我那時對於愛的處理是具着另一見解的。可是自從我最近這些日子經過了生活上很大的變遷以後我底心境也跟着起了很大的變化了；我是被最近極端的痛苦和極端的悲哀逼得成了一個反抗的人──堅強的反抗的人我一向本是柔弱沉默甚麼事都一任別個擺佈的；可是現在我不是那樣了我覺得我雖然是個女子但是應該和男子有一樣的地位應該和男子一樣，做些有意義的事情──至少也應該知道把個人底幸福放在為公衆幸福的事體以後，至少應該知道為公衆底患難去憂傷哀毀……──你覺得特別嗎？是的，我這種變化是由於自己本身受了別個欺侮的緣故但是我為甚麼會受別個底欺侮呢？我本是好好的一個人為甚麼會遇這種供給別個淫樂的生活呢這個已經不是我一個人底問題我覺得

249

這兒關係着整個的習慣和制度的。——最近我常常這樣的思索，我把我這個意見擴張到無限大的時候，我底憤怒簡直像要把我全身底血管都衝破了呢…我恨我不是一個男子，所處的境遇不許我做我想做的事；我若果是一個男子，那我一定要作一番改革天下的偉大事業，我會把一切由歷史上傳下來的惡習慣和惡制度一齊推翻，一齊破壞！我會用暴力去剷滅信崇這種習慣和制度的人，我會用流血的手段去除那專為自己作威作福而假借這種習慣和制度的暴虐者！——我若果是一個男子，我一定是這樣做的，我想我底意思，你是會明白了呢…你要我跟你逃到很遠的地方去，這個我是很了解的；你所要求的是我們底自由，但是，我問你，真的這樣我們就可以得到自由了嗎？即準這樣可以得到我們一時所謂的自由，但是去過那種與世隔絕的無聊的生活終究有什麼意思呢？…你要我脫離這兒這四人的高牆，但是在這高牆裏面囚着的不只是我一個人哩！

250

鳳儀亭

我一個人可以逃走可以去求自由但是別個被囚的呢，難道只有我纔有這種權利嗎？

——你可以說我們是爲『愛』而做的但是依我看來『愛』並不一定是那麼神聖的

事；要是把愛和自由放在一起時那除了去鬥爭去先把牠建立在多數人類中間——除

了這樣依我看來是再沒有別種方法可以去徹底地實現牠的。

呂布

不要說了不要說了…你要我怎樣做，我怎樣做就是了。——你要我怎樣做呢？

貂蟬

我要你怎樣做…你自己沒有主意了嗎？——你看現在我們所處的是個甚麼時代，

——你應該比我還要明白的現在天下年年都在戰亂人民底不能聊生已經到了最厲

害的時候了；像你像你這個一向便有聲勢有權力可以大大地替國家作一番事爲民衆

盡一番力的人本來應該怎樣把自己放在重大的需要底中心裏面纔是正當作人的方

251

法，——但是，你却要爲一己底熱愛爲個人底幸福，想從你偉大的義務前面逃避了開去！你底全身心就好像被一己底熱愛和個人底幸福所沾迷着了！你簡直就忘記了你是一個甚麼樣的人忘記你所處的是一個甚麼時代？……——我是個女子，我還能爲眼前的大事來思索憂憤來不斷地自己恨着自己而你——

呂布　唵，不要說了不要說了…你這樣嚴刻地裁判了我眞使我——！使我感覺到羞愧難當呢！我也不知道我怎麼是這樣的糊塗這樣失了本性…不過我是聽你底話的，在不會失掉你的範圍內我可以如你的所願我立刻就用我底能力去除那全國底禍首…

貂蟬　那一個？

呂布

252

李儀鳳

這是很明白的，貂蟬你所說的話裏面已經告訴了我，—— 現在還有那一個是全國

底魁首呢？我並不是不知道這個我之所以沒有對他有甚麼舉動的是因為他畢竟是我

底義父——

　　貂蟬

啊，你在顧全這個嗎那麼我是你底義母了你第一就不應該這樣來愛我的，

　　呂布

唵，我底貂蟬！不是這樣說…我一定依你底意思做去！—— 天呀賜與我

些力量叫我不要一到他面前的時候便想起他給我個人的恩惠罷！…—— 我底貂蟬我

決定了！我要努力把我和他已往的關係忘掉這是為 —— 我央你底話——中國為長安，

為你為我們底愛情去 —— 做的：

　　貂蟬

253

那麼你聽我說你要是真要去做這椿重大的事情時那便却不要要倉卒從事；並且你底使命並不是只把他除掉便算了事呢後來還有許多的事情要去做的。你聽我說三天以後便是他底生日你最好在這三天之中和長安所有的文官武士先設法會商一遍到那一天你可以叫你底部下來把這太師府首先包圍起來你便在那衆八之前堂堂正正地發難把他底罪惡宣佈過後再用你正義的劍鋒去誅罰他。並且最好那天能設法把長安底市民都招致在那設筵的臺下使民衆得以公開地看見他們仇敵底死亡——我想，那樣一定是一個偉壯的奇觀，一定可以成歷史上從來未有的一次壯舉呢！……你願這樣去做麼？

呂布

啊，貂蟬你真使我驚異了你底思想和睿智竟然這樣的駕乎一般女子之上——啊，

我真是怎樣的羞愧我自己呀！……我一定聽你底話我一定照你所說的努力做去……啊，你

254

鳳儀亭

放心罷我一定這樣做，一定這樣做…

　　貂蟬

好的，這纔是你愛我的最可靠的唯一的證據來罷…（她用手挽他。）我已經是你底入了…我在這兒等着只有三天，我就要當場看你做那偉大的事業…只有三天我便完全屬於你了，我便完全完全屬於你了屬於你了…

　　呂布

我底貂蟬！我底貂蟬！

（他和她緊相持抱了起來。）

　　使婢們

（此時圍內忽轉出幾名使婢，都手提宮燈，一面走着，一面口中呼喚。）

新夫人！——新夫人！

新夫人！——新夫人！

255

貂蟬　哦，他們找我來了⋯你快走罷。一切就這樣決定了再三天——哦，快——（她急推開了呂布。）

（呂布退至圍門外牆陰下。）

我在這裏呢。

使婢中為首者　太師囘來了，請新夫人立刻到後廳底別室中去。

貂蟬　那麼去罷。

（使婢們在她前方用宮燈照路，她底背朝着舞蓬前方，拖着牆坦的曳帶和很長的衣裙底後幅，還緩地一步一步向內方走去。）

鳳　儀　亭

（月光漸漸地暗了下去。同她底步調取同一的速度：她向內走一步月光黑暗一下。）

（歌聲又作，非常的淒楚，細微，悠遠；也跟着她底步調和月光暗下去的速度漸漸地漸漸地向下低沉。）

歌聲

莫別離，

惹魂銷，

地寬天高，

風吹時光老，

但有寂寥

復寂寥⋯

莫別離，

夢一場，

人去花亡，

好事成已往，

從此渺茫

又渺茫……

（歌聲到最後一句，特別低沉，同時貂蟬便全身進到內方去，不可復見，而月光也完全暗了下去。）

（場上立地變成黑暗，沉寂。）

（在黑暗與沈寂中隱約見呂布尚巍立不動。）

253

國慶的一日

國慶前一日

人物：

張白甫——民報編輯

佈景：

張白甫之家中——！一所簡陋的住宅正首有門，可通內室右首又有一門，爲臨街的出口，此門旁有一窗戶，可苷見街上事物場上設置都很簡陋桌子一張椅子二三隻。桌子上堆有報紙雜誌，並置有墨水紙筆等。惟右首牆上安有毡話。

張白甫

259

〔在內室，場上只聽見他的聲音。〕

啊，你還是休息休息罷！⋯對了這樣靠着⋯你不覺得枕頭太低嗎？我把這件外套捲

起來放在枕頭下面好不好？⋯不要那麼你覺得這樣還舒服麼⋯那麼好就這樣可是你

要安靜些⋯我嗎我現在要把那張傳單稿子修改修改等一等他們就要來拿的⋯是的，

這是為明天用的趕今晚就要印出來的⋯怎麼你覺得有些冷是不是還是把這外套加

在被上好些⋯讓我快去把那傳單修改好──但是不要緊，我還可以一面陪你談話的⋯

〔他由內室走了出來，穿着很舊的西裝年紀約三十左右。〕

唉，怎麼外邊也是這樣的陰暗呢怕是天要下雨罷？

〔走到窗邊〕

或者或者不會呢⋯甚麼？──

〔走到內室門口〕

260

國慶前一日

你問甚麼…幾點鐘現在大概──

（看身上帶錶）

哦，已經四點多鐘了已經不早了呢…

（坐在桌旁一面翻閱稿紙一面向着內室）

是的、我現在預備修改這張傳單…你要聽？…唉，好的！我一面讀給你，我一面來修改

…是的，這是幹部底人起草的…我們已經決定借明天國慶的日子做一次巨烈的羣衆

運動這傳單就是說明這所謂國慶底意義和我們應取的態度…──哦你還記得三年

前五卅事情發生的第二天我們兩個一塊兒做傳單的情形麼那時我們兩個都被擧爲

起草傳單的負責人，我們兩個在閘北一間亭子間裏面對坐了一天，你把你起草的稿子

給我看我把我的給你看…哦那時候我們兩個眞起勁呢我們不是費了一天的工夫做了

有十幾種傳單嗎那眞是可紀念的一天！…甚麼你說？？？當然我那時那樣起勁一半是工

261

作上的需要一半也是因為有你在我底旁邊…那麼你那時的起勁呢?…笑甚麼說呀!…

叫我想?…哈哈那麼也是因為有我在你旁邊的緣故了…哦我們那時真好光陰真容易

過那天我算是第一次和你單獨地坐在一塊兒工作,自從那天以後…甚麼是的呀!光陰

真快真快真是一點也沒有覺得我們共同生活已經要滿三年了呢!…那裏底話瞎說好

好的一個人怎麼就會死了呢?你要靜養才行等到你病好以後我們還同從前一樣一塊

兒工作那樣多好呢!…哦,好的我一面讀給你,我一面修改…

〔韻傳單原稿〕

一被壓迫的勞苦民眾!

今天是所謂國慶的日子,市政府傳來了政府底命令,要全市都一致地掛旗慶祝

當然我們都這樣的做了這在表面上看去今天確是一個非常光榮的日子。

但是一切革命的被壓迫的勞苦民眾應當認清今天這個日子底裏面這兒所有的

262

光榮只是他們少數特權者裝點自己門面的幻術和我們底實際生活是全不相干的。

他們一面在⋯」

（取筆添寫。）

這里須得添幾個字——

「他們——那些豪紳地主資產階級——一面在屠殺農工在帝國主義底面前獻媚，一面卻又大吹大擂說他們已經統一中國，說他們爲民衆造了許多的利益——

所謂國慶⋯」

（寫。）

唉這裏又得加一項——

「在這種情形之下，我們不能不正式地來把我們底假面具揭開所謂國慶：」

唉不——

369

〔寫〕

『我們決不否認所謂國慶這個日子在過去歷史上的意義我們一點也沒有否認這個。我們反對的是豪紳地主資產階級借着這僅在過去歷史上佔有意義的國慶來發表他們底反動言論——為鞏固他們自己地位的反動言論以欺騙民衆。

我們只聽見他們口口聲聲地說是為民衆造了許多的利益但是民衆得到的是甚麼?

我們看:工人得到的是失業農民得到的是兵災是匪禍兵士得到的是幾萬幾萬的死亡,是死不掉的却八九個月得不到一點薪餉商人得到的是苛捐是雜稅所有的苦力及貧苦民衆得到的是無衣無食凍死餓死!——夠了,這就是他們給民衆造得的利益!

甚麼叫「裁減兵額」?甚麼叫「勵行自治」?甚麼叫「已得友邦之諒解」?他們口口聲聲地這樣欺騙我們,用這些官樣的文字來欺騙我們⋯」

〔電話鈴響。〕

哦——

〔他站起來去接電話〕

阿勞!阿勞是那一個…是…李頗洪哦,我是馮白甫…甚麼事?…哦…哦…我正在修改,不過大體都很好沒有可以大修改的地方…你馬上就可以來拿…是的,哦…

…再沒有甚麼事嗎?…哦好…

〔他復坐在桌旁〕

〔向內室〕

沒有甚麼就是他們催我馬上把這傳單修改好…囉是呀並沒有甚麼十分可以修改的地方…不過總得看一遍. ——你現在覺得好點嗎?…囉…啊有這樣的事聽了這傳單可以使你的病輕一點…那麼多做些這麼的傳單給世界上有病的窮朋友們去

265

讀，豈不好嗎？有錢的人得了病可以住病院，可以請醫學博士那麼我們窮人就靠這種傳
單來治病罷哦，的確的呢這傳單可以增加我們底抵抗力可以復活我們底血輪所有妨
害我們健康的微菌都要被牠殺死呢…甚麼…好不說了我讀我讀我希望這張傳單讀
完你底病就可以痊愈那便又多一個做傳單的人了…好我讀…

〔讀。〕

『…用這些官樣文字來欺騙我們，不過我們是有眼睛的我們看：各地底軍閥都正
在祕密地募兵密祕地輸入軍火以作互相衝突的預備他們之間每一個都想得帝國主
義底寵幸都想無限制地獲得賣國的整個權利資本底魔力使他們完全不知恥地投身
在帝國主義底膝下了！現在全國已被他們造成了全副帝國主義侵略的局面——這樣，
試問怎麼樣去裁兵怎麼樣去自治還說甚麼「得友邦之諒解」笑話！笑話真是笑話』

你說…是的，做得的確不壞呢…嚇…我不大知道大概是適才給我們打電話的李

266

國慶前·一日

頗洪起草的罷…是的，他是幹部新任的祕書…

『一切革命的被壓迫的勞苦民衆應當認清我們目前所處的地位。我們決不能讓

人永遠這樣的欺驅同時我們須知道這些事實只是證明革命運動快要達到一個新的

高潮我們要加緊我們底力量努力地團結起來推翻一切反動的勢力！

所以，在今天這個僅在過去歷史上佔有意義的國慶中我們決不容反動派借來發

表盡惑我們的種種言論我們決不受他們底愚弄趕快組織自己武裝自己堅決地向敵

人進攻以實現自身迫切的要求！』

　　〔電話鈴響。〕

　　又是甚麼

　　〔接電話。〕

阿勞！阿勞…那一個？…是的，我是張白甫…甚麼？…阿！怎麼弄的？…是剛纔發生的嗎？

267

⋯真糟真糟那我們明天用的傳單豈不是不能發了嗎?⋯這真糟是怎麼弄的⋯甚麼還有第四⋯不是⋯啊第十!那麼明天怎麼辦呢?⋯哦⋯哦⋯好罷弄好了的時候再告訴我?⋯

⋯⋯⋯

哼──

〔向內室。〕

⋯不要問罷!真糟透了我們底印刷機關被破壞了⋯說是剛纔發生的⋯喔當然是司令部方面底人⋯那裏只能捉幾個人呢全部印刷機關底同志都被捉去了!⋯當然當然被封了!⋯喔⋯是呀明天底傳單不能發了!──我剛把傳單看完只剩到最後的口號了,真糟馬上便發生了這件事情⋯明天底運動自然是還要實行的,不過同時我們第十區底機關也被破壞了呢⋯是呀第十⋯所以糟呀第十區是工人區域,我們明天羣衆運動底幾個領導的人都在那兒⋯甚麼⋯現在有甚麼辦法──顏洪說是他再找人去問,

268

圖變前一日

看現在底情形明天到底能不能實行運動，他等一等會再給我打電話的…那還用說當

然他們是調查出了我們明天的準備了所以今天下午到處都搜查呢…喔…這有甚麼

他們底偵探多得很呢！當然可以調查出我們機關的地方——哼！這些王八蛋越來越凶

了！但是他們真是在做夢他們以為這樣就可以把民衆彈壓住了嗎呢…呢…喔…

甚麼…哦…唉那個我想倒不會的我在民報作事已經很久了，同事都不知道我是

怎樣的一個人他們都以為我同普通報館裏的編輯一樣，是一個沒有甚麼思想的人我

想我總不會有什麼危險的…

〔看錶。〕

幾點鐘？

巳經六點鐘了——但是顏洪怎樣還沒有電話呢？

〔很焦躁地走來走去。〕

269

……唉？怎麼能不急呢？不知道明天到底怎麼樣……

〔忽向外傾聽。〕

街上在賣特別號外大概是說我們機關破壞的事。——但是不會有這樣快罷？

〔他走到窗邊伏在窗口向外喊叫。〕

喂，號外號外！——幾個銅版？——好三個拿一張來！

〔由窗外接拿了一張號外，一看不覺大驚〕

啊！奇怪！——真奇怪你底話驗了怎麼這樣的事竟然發生了呢？……

〔讀。〕

『民報館今午被查

今午十二鐘左右突有司令部人員十餘名至民報館調查，據云該報館匿有重要人

270

園慶前一日

犯。但搜查結果，一無所得恐係該犯已聞風先遁該報館經理亦被逮去數小時至下午三

鐘許始行釋放云』

遣——

　　〔電鈴急響。〕

唉…

　　〔接電話。〕

阿勞阿勞…是的，是的，我是白甫，你是顏洪嗎怎麼樣…啊！…啊！…那麼…那麼…走？我怎

麼能？我底女人病得很厲害呢…你馬上走為甚麼…啊啊…那麼——喂，那麼再請你顧

查一下好嗎？…立刻就要確實嗎？——喂——顏洪顏洪——阿勞阿勞——喂——

　　〔他無法可想地丟開電話坐倒在椅上〕

　　〔向內室〕

271

哼——哼——

〔無氣力地。〕

是的，你底話驗了適纔號外上說他們要捉的要犯就是我…是——顏洪得了個確實的消息說他們已經知道我的住處了…說他們立刻便要到這兒來捉人呢…甚麼…顏洪他也逃了…他說我們底幹部都也被他們知道了…你說…我不走你底病這樣厲害，我怎麼走得開呢…哼——不——我不走…不！——不走…

〔忽然跳了起來。〕

甚麼甚麼你千萬不要動我聽你底話我聽你底話！

〔奔到內室〕

〔在內室說話〕

〔顫聲〕

272

圖慶前一日

我聽你底話就是…你千萬不要動…我走，我走…但是讓我把外邊那些傳單印刷

品燒了再走，…好我快…我快…你千萬不要動我很快的！很快的…

〔跑了出來〕

〔檢桌上所有印刷物〕

但是這個燒了真可惜了呢…這個也得燒…這個…

〔跑向內室〕

啊！你千萬不要動我快我快

〔又跑了出來〕

馬上燒——

〔又跑了進去〕

我在聽你底話呢！…馬上…馬上…

278

〔又跑了出來〕

〔很紊亂地掬了一堆印刷物放在地上點起火來。〕

哦，我在燒我在燒…馬上就完…就完——

〔忽然一個劇烈地打門聲。〕

啊！——

〔打門愈急。〕

啊！——

〔打門更急〕

來…來了…這樣快…就來了…

這——這怎麼——辦？…

〔他在忙亂中把房中四面所有的印刷物的紙堆一齊點起，全場立地被烟火所罩。

他絕望地茫然地揚着頭端立在烟火中間有如受犧牲的一個聖者一般。〕

274

國慶前一日

（幕）

一五，十月，一九二八，夜半，殷橋。

275

散文

我底囘國

伯奇：

　　前次寫了一封信給你，想來你是巳經接到了。

　　我囘國來計劃怎樣我眞不知道怎樣囘答你呢！我這次囘國本是一種衝動的表現我還

　　說來眞有點不快我剛囘到上海你卽在我到上海的前一天往日本法了。你來信問

　　記得是一天晚上坐在拉丁區底一個珈琲店裏面前正擺着一杯 Rhum，一個人無聊

277

地正在出神忽然一個賣報的擋了進來突然地喊着：

『中國底暴動！中國底暴動！』

好像是一個晴天霹靂一樣把我從沉夢中驚醒急忙便買了一份報展開一看，啊⋯

——這新聞就是我們最痛心的五卅事件！

從那晚起每天報上都有中國的消息可是報上對於那些消息的評論却眞要把人

氣死他們——帝國主義忠實走狗的新聞記者！——一提筆便說我們是咎由自取一提

筆便說我們是野蠻的民族，一提筆便說我們是無理取鬧並且一提筆便說他們對於我

們應該徹底肅淸應該格殺無赦⋯啊這簡直是反了他們底意思是要我們俯首貼耳地

讓他們來屠殺他們底意思是要我們把頸子伸長連哼都不要哼一聲的這簡直是反了，

簡直是反了！

那晚我曾自己向自己發誓決要在最近的期間回國，我是再不願意在外國享樂；再

我底問題

不願意受他們假意的優待——其實平心而論，我個人過去的生活，中國人對我真不如

外國人對我的情意濃厚但是讓牠濃厚去罷！我還是到中國受苦好些！我是就這樣決了

心，就這樣匆匆忙忙地收拾了行裝一面給國內朋友寫信想借點囘國路費我在等路費

的時間每天都想囘國我決意和許多外國朋友都不來往了。我在一首詩中說道：

去罷，還在這兒迷戀甚麼熱愛的情婦！

去罷，還在這兒沉湎甚麼芳烈的醇酒！

去罷，還在這兒居住甚麼垂美的房屋

去罷，遠在這兒信託甚麼誠意的朋友！

我真是天天在想囘國，我幾乎要發瘋了。

279

可是，出人意料我向國內朋友借的錢竟成了空夢使我不得不又向別處設法，但是

在這期間途又就延了很久所以直至現在纔算是真的囘國來了。

我要動身的前晚有許多朋友約會在一個飯店中給我餞行。我那時因為受了友情

的包圍不覺便痛飲了一陣朋友們要我留一個紀念我當時頭昏耳熱向店中索了紙筆，

便隨意地寫了一首詩給他們這首詩是這樣：

勸君鷄我言我本飄泊人。

我本飄泊人無家無相親。

東西復北南舊書伴一身。

舊書伴一身飢寒常來侵。

有時三四日飲食不沾脣。

飲食不沾脣幾死幸復生。

280

我底問圖

有時去自殺，所苦在愛情。

所苦在愛情相遇皆不誠。

屢被人拋棄惟有自吞聲，

惟有自吞聲無處安靈魂。

飄泊復飄泊悲觀更傷心，

悲觀更傷心今向故國奔。

故國正災難願去哭國門。

願去哭國門，一瀉我哀忱。

或竟不去哭往遊埃及城。

往遊埃及城便向尼羅沉。

今日一爲別良友意殷勤。

281

良友意般勤倍覺傷我神。

人生祇如此忽聚又忽分。

忽聚又忽分紀念永遠存。

勸君各努力我本飄泊人！

現在我把這首詩抄來給你看你大概可以明白了．你大概可以明白我囘國到底有

沒有甚麼計劃的了。所以我說我囘國只是一種衝動的表現。

衝動的表現也罷甚麼也罷總之算是囘國了將來怎麼樣我自己也不知道但是作

一點應作的事却是我早已有了決心的說得屬害一點可以借愛爾蘭殉國詩人 Patri-

ck Pearse 底詩中的一節來表我底心情：

I set my face

To the road here before me;

282

我底何圖

To the work that I see,

To the death that I shall meet.

現在我能對你說的我底計劃也只有這一點了罷。

其次，你來信說到我們底國民文學運動你所說的「語絲」上錢玄同等底批評，我都看見了他們確是陷入了很大的錯誤。我們提倡國民文學的原因是為今日中國的作家大都不能了解文學底使命只知道很淺薄地摹做，而不知道對於民族予以有意識的注意以現在中國這樣處於悲哀運命之下的時候，而沒有一個真正體驗國民感情的作家。我們且先不要說這是代表全部中國人底懶惰與麻木即只就文學本身來觀察也是一個宣告墮落的先徵。木天前次發表的文字或者有些地方因為措辭上的關係容易引起些誤會但是像錢玄同那樣的誤會真是出人意料了。他竟然把我們和「贊美拿匪」以及狹義的國家主義者列為同類，我真不知道他是怎樣看我們所發表的那幾篇文字

283

來的！我們明明列舉着有『主持社會正義』『主持階級正義』『主持兩性主義』等

等我以為我們底旗幟是很鮮明而正當的。總之不管你怎樣說，一個民族若不注意自己

內部不宜洩自己感情不叫醒自己意識就是費盡心力摹倣人家，根基總是在沙上建築

的！其成績怕也只等於零罷了我看錢玄同等完全是不懂這層道理所以纔有那樣的武

斷。

　　在文藝上，『紀念』是很重要的。但這兒所說的『紀念，決不含有復古的意義。我

們可以紀念希臘底 Parthnon 可以紀念羅馬底 Forum 可以紀念埃及底金字塔那

麼也可以紀念我們底萬里長城這種歷史的趣味並非引導國民去回到古代只是為使

國民提醒意識感覺到對於已往創造者的懷慕而更從事於新的創造我們應該恨那般

淺薄的國家主義只去抱殘守缺在 Neohpobia 中討生活但我們同時也該恨那般抹煞

一切的偏急主張竟至蔑視到代表人類真實情感的 Nostalgia ！

我的問國

總之，我們應該受民族底洗禮，我們要努力創作，我望我們此後要彼此激勵。不過我自囘國以來切實與社會相接觸了以後思想上似乎又有一點變化現在還不能確定。

但是等到確定或者要把我自己過去的一切見解根本推翻了呢。再緩一步或者可以告訴你。

獨清

二〇，四月，一九二六。

285

致法國友人摩南書

摩南（Monin）至友：

　　現在正是春末夏初的時候了。這時正是去年我們在廣州分手的時候光陰畢竟是很快的，這一年中我們幾個同人底離散和我們中國時局底變遷都足以使人吃驚我接到你底信一直到現在纔復一半是我底疎懶一半也實在因爲生活不曾安定又常被病痛所苦你是知道的，生在現在這個時代的人已經不幸生在現在這個時代的中國人更

287

是最大的不幸。我對你底信所以遲復的原因，還望你能了解，並望你能原諒，

你寄我的報章都已收到蒙你論到中國現在詩人提出我和沫若。我底「弔羅馬」

更蒙你譯成法文並附上了註釋沫若底「星空」也勞你很費力氣翻譯了你對我們的

這種熱心我先在這裏給你致謝。

近來我們幾個人底行蹤都像是秋風中的黃葉已經分散在各方了。沫若已置身敎

治，達夫在最近期間內因病赴日本修養仿吾尚居廣東我則暫留上海繼續着孤獨而流

浪的半生不死的生活囘想起去年我們在廣州聚首眞是有如隔世你大概還記得我們

有一次在一座茶樓上談心你儘是完全浸迷在我們中國南方——不廣東特有的那種

茶樓的趣味裏那對於你特別是一種異邦情調我們會談到了種種的問題談到法國近

代的文藝談到中國的近代文藝談到法國最近社會思想的趨勢談到中國最近社會思

想的趨勢談到日本談到德國並且談到呻吟於法國壓力之下的安南你對於我們中國

289

致法友圈廖人請書

目前的革命抱着無窮的希望，你對於我們幾個從事文學的朋友也抱着無窮的希望。你曾問到我們各人自己所打算的自己生命的前途你也曾說到你自己最後結束的一句話使我至今不能忘掉你說：「無論如何現今的時代是革命的時代我們都要革命！」

好的，朋友，「我們都要革命！」你這句話常留在我底心裏並且常使我發生着很漸愧的反省我總覺得我是過於偏向個人的傷感方面去了，一年來我很想在我這個缺點上作一番補救工夫近來的心境似乎比較去年時變遷了許多這固然由於中國環境底刺激而其實你那句話也給我暗示不少。

我覺得文藝家決不能忘記他所處的時代與地域，我們知道世界上的事物是隨着時間變易的世界決沒有不朽的律理但是這個我們卻不應該去顧慮譬如但丁底作品完全是以宗教的信仰作背景，中國屈原底詩中滿填着懷念君主的單思病的呻吟這些都是為近代所不容許的思想但是但丁屈原並不因此而失去他們底價值思想不

289

過是時代底產物，我們旣了解了作家底時代，便不能因爲他底思想與現代不合而�抹

殺到作家底本身，不但不能抹殺反而爲他能代表某個時代，卻使他底價值更形增高。不

過這裏所說的價值只是歷史的價值，卽就他底影響自然是很大，兩果崇拜他，

維尼崇拜他歌德崇拜他許多許多詩人想學他但崇拜他想學他的人都是因爲和他底

時代相近的原故。我們現在對於擺倫卻只承認他是他那個時代的代表者只能承認他

歷史上的價值我們這時代所要求的革命家却決不是擺倫擺倫式的革命詩人還不外

以個人爲中心還不外是一種英雄式的破壞者這種思想表現出的行爲固然可以幫助

希臘獨立但也可以成爲Don Quixotte 式的騎士對於現代卻不特無益反而有害了。

處在我們現代的文藝家正應該明白自己所處的時代與地域。現代決不是個人的

時代個人的時代早已成爲過去文學史上自浪漫派以來都是個人的文學一直到了頹

廢派個人主義算是達了熟爛的時期正和現在的巴黎代表最末的拉丁文明一樣在藝

290

致法國友人關南書

術上來說，正如中國古詩人詩中所說的「夕陽無限好，只是近黃昏。」在文藝家本身上來說結果只是走上了「自殺」與「滅亡」的一條路這正因為浪漫派的時代個人主義還可以存在像擺倫一類的人物也正可以作他英雄的事業及至到了近代社會已不能容許這種個人主義行動所以擺倫式的人物便再也不能產生要在近代履行個人主義那是只有在珈琲館只有在賭博場只有慢性或不慢性的自殺了。我們據此可以得到一個很大的覺悟可以明白現代個人的文藝已失了地底權威我們所要求的是民眾的文藝家是置身於普勞列搭利亞中的文藝家我們願把文藝獻給民眾去安慰他們底靈魂與鼓舞他們底勇氣；我們不願使文藝被資本家或支配階級買去充作他們底阿片烟和侍妾這種正是抬高文藝底價值並且對於文藝的尊崇姿在「為藝術而藝術」的人們以上。

在法國現在還存在的兩個文學家，巴比塞與羅曼羅郎：這兩個人在中國也常被人

291

提起的常我還沒有離法國時，他們兩個昬處於極相反對的地位，我想現在他們底態度

也必定沒有變更若依我來評論巴比塞總是現代的文學家他知道文藝不能脫離時代，

文藝家把自己底生活與藝術合而爲一，他知道文藝家對於時代的重要他更知道現在

是民衆的時代是反抗壓迫階級的時代他確是實行作他底活動了。羅曼羅郎底思想恰

恰相反，但依我看來，羅曼羅郎已經是一個在現代落伍的文學家了他很安適的住在瑞

士底湖邊，他閉着眼睛不願看現在無量數的被壓迫羣衆他只追想着過去的「英雄」

在過着他天才崇拜狂的迷夢，他一面與保守印度貴族階級的太戈兒相周旋，一面又似

惜舊那用無聊的無抵抗不合作主義斷送了印度的甘地：總之他還不了解他所處的時

代，他確是已經落伍的了。法國現代文藝最大的危險便是個人主義流毒很深雖然文藝

家之多正可以同巴黎地道車中那些時裝婦女人數相比擬但是可惜結果也只等於那

些時裝的婦女罷了我以爲要使法國文壇產生眞正時代的作品第一先要肅清 Deca.

292

dent 式的個人主義。

上面說了許多話，其實我自己還是一個空有理想的懺悔者，不過我這許多見解都

是一年來所變化的，並且我可以對你說我們幾個朋友都差不多有一致的傾向：沫若不

用說了，仿吾也在作着實際的工作就是病弱的達夫也改變了他底作風了還有如木天

雖然還住在北京但是他底思想也必沒有甚麼觸悟的

蒙你問到我們底作品一年來沫若和其他的人都有新的著作我自己是在努力着

使我一向趨向於個人傷感方面的藝術完全死去希望有一個新生到臨我在「死前」

裏面說道：

　最好能到我墓前常逃我死前的疲倦，

　好使我使我常在墓中感着悔恨不安。

293

朋友，我請你，請你希望我死罷！

你底朋友
王獨清

二〇，六月， 一九二七六月二十五日譯出。

294

知道自己

我們應該傷心，十二分的傷心！我們處在這樣的一個有意義的時代，我們住在處於這樣有意義的時代的中國，我們以文學家自命的我們，我們以作家自命的我們卻不見有一篇代表時代的作品，不見有一篇代表時代的中國的作品！

從前希臘古代有一句格言說道：「知道你自己」這句話我們不妨用來作現在我們底格言。因為我們統統是不知道自己──

295

聽了我這句話,你要是反駁地說道:「我怎麼不知道自己?我知我自己是人,我知道

我自己是中國人!」那你便是在詭辯!那你這種不願意自省的小資產階級的傲骨使你

到死都不知道你自己

　我所說的「知道你自己」不是要你知道你自己是人或是中國人。我是要你知道

你自己是甚麼時代的人或是甚麼時代的中國人?

　到底我們所處的是甚麼時代在這兒,我覺得用不着詳細來解說,我們只須簡簡單

單地一看事實便能立刻明白我們只簡簡單單看我們中國底事實罷帝國主義對於我

們的侵略屢次劇烈的慘案我們偉大的罷工運動政治上出人意料的突變空前未有的

屠殺歷史上第一次的大暴動……！我們只要睜開眼睛去看,不知道有多少向我們

說明時代的事實我們只要睜開眼睛去看我們立刻可以明白我們是甚麼時代的人。

　然而我們不願意去看我們一點也不願意睜一睜我們底眼睛我們只知道作夢我

296

知 道 自 己

們只矜持着我們底矓矓矓矓又矓矓，不怕時代怎樣的攤在我們底面前，不怕時代怎樣

的在招致我們，我們却只是不管不管！

這樣當然我們永遠不會知道我們是甚麼時代的人，永遠不會產生時代的作品。

我們處在這樣的一個時代許多血淋淋的大事件在我們面前滾來滾去我們要是

文藝的作家我們就應該把這些事件一一地表現出來，至少也應該有一番描寫或一番

記錄。我們要眞是以文學作家自命那我們就應該這樣因爲一個文學作家決不是寫一

寫目家底生活可以了事也決不是唱一唱無可奈何的哀歌所可了事文學作家是要把

捉住他底時代，是要用直觀來把時代一切偉大的事實包括在他底作品之中這兒沒有

甚麼 Spieltrieb 沒有甚麼 "jeu de mots"，沒有甚麼 inspiration，沒有甚麼

「爲藝術而藝術」這兒只有研究只有體驗只有下刻苦的工夫。

我們，自命爲文學作家的我們有一個最大的病症便是不能吃苦譬如上海這個地

方要算是最複雜的一個都會，我們要細細地考察和分析時，那我們底眼前不知道要湧

現出多少刺激我們的材料，土豪劣紳賈辦階級資本主義走狗…應有盡有公司酒店旅

館娛樂場…應有盡有工人苦力乞丐娼妓…應有盡有工廠牢獄巡捕房貧民窟…應有

盡有——真是說不盡說不盡這些材料都在我們底眼前，我們可以用來製造種種的文

學或是暴露或是敍述或是宣傳或是煽動任何方面都可以使我們寫出偉大的和強有

力的作品出來。況且歷史上最動人的事件像五卅是發生在上海使我們受刺激的地方

不知道有多多少少！但是奇怪我們常住在上海我們所有的文學家都聚會在上海然而

不見有一篇那樣的作品住在這樣的一個都會我們底文學作品反而是些不成器的讚

美自然和無聊的陶醉戀愛的斷簡殘篇這真是一椿怪事我真不知道我們底文學家都

在怎樣生活。我們底文學家都在作些甚麼或者那些讚美自然和陶醉戀愛是我們文學

家和他底愛人遊公園時所得的靈感那麼我們底文學家真算是健忘又健忘了呢！上海

298

知道自己

底公園是誰的？上海底公園是怎樣有的？這層我們倒不能不佩服我們文學家與現實隔絕的本領了！總而言之，統而言之，我們只顧個人享樂不願考察我們底社會和分析我們底環境，我們最大的病症便是不能吃苦。

『吃苦罷！』我覺得我們在中間有提出這個口號的必要。

但是我們却要禁止傷感禁止愁歎。我們底態度要和炭坑裏和生死奮鬥的工人一樣：除了緊張和嚴肅沒有別的。我們須得深深地懺悔深深地反省現在的自然已經用不着我們讚美戀愛也用不着我們陶醉我們今後所有的時間已經由個人而轉變爲大衆的，由安靜的轉變爲鬥爭的了。我們要是不想在這種時間中生活那我們只有去死只有去自殺。

我們已經只是矇矓矇矓便是作夢作夢便是糊塗我們是不曾知道我們是甚麼時代的人我們不會知道我們自己！

我們要吃苦！我們要知道我們自己！

一五，三月，一九二八。

300

施　西

西施

我是纔由蘇州回來的

我要往蘇州去的時候非常高興、因爲蘇州是我們歷史上出名的都城，又是西施住

過的地方很值得去遊歷一次。我幻想中的蘇州是有說不出的莊嚴是有說不出的濃豔，

那兒底天都應該異樣的泛着溫柔的藍蔚那兒底地都應該異樣的陳着一片香土我打

算去到蘇州痛快地徘徊幾天，引起我崇拜的懷古的心情接受一點創作的靈感。

301

我預備的是去弔一次西施，回來以前要寫一首哀感婉豔的長詩。

不但是這樣。我要往蘇州去的時候有人對我說蘇州底女人是再美不過的，一到了蘇州，隨時隨地都可以看見最美的女人。我也想像那樣負着盛名的古都住民當然有靈秀的遺傳，我以為我去決然可以看見許多從來**不曾看見過的美人**。

我要去蘇州時的心境是這樣，這話一定不曾錯誤。

但是失望失望第一蘇州完全不是我想像中的蘇州，那兒只有破爛污穢陳廢荒涼，那種整個的腐敗，竟至一句詩也寫不出來其次到處都是貧民小工乞丐跑街的妓女所謂靈秀的遺傳像是根本就沒有這麼一回事至於我能看見的街上來往的女人有許多一點也引不起人流連的興會弔西施的計劃本來是空空洞洞的幻想及至看見了那兒窮得連衣裳都穿不完全還講甚麼美不美呢！

所以這樣竟使我底幻夢完全消滅我底弔古的情懷始終未曾抬起頭來，靈感連影

302

子也沒有光顧過我我只是撲了一身的塵土，兩手空空地回到了上海來。

不過我這次到蘇州去雖然失了望但却發現了一個很大的道理。

是甚麼道理呢便是幻夢要同現實一致。

孟子說得好「西子蒙不潔人皆掩鼻而過之」這句話很可以說明幻夢要同現實一致的道理。西子——就是西施——雖然是千古馳名的美人無論是誰對她都有一種超人的幻想可是假使眞個見了她時她是全身汚垢那是只有令人趕快地迴避連看也不能多看的了我這次去遊蘇州，先在幻想着古代姑蘇城舊址先在想着西施住過的名都，先在幻想着那兒種種的風流倜儻那知及到了那兒總是一片的廢敗總是充滿了窮苦不怕你是一個追蕁幻美的人可是經不起現實只在你底眼前搗亂你終歸不能不伏在現實底脚下了。

第　四

這層意思要是老實地講出來時那便是說我們要充實我們底幻夢須先充實我們

303

底現實

再進一步老實地說罷，我們底現實真是達到破產的程度了。我所說的蘇州，不過是我們全部底一小部分。我們試把眼睛睜大來看，我們中國那一處不是破爛污穢陳腐荒涼？那一處不是滿佈着貧民小工乞丐跑街的妓女？我們底一切都已經破產經濟底壓迫一天勝似一天，我們失業的量數不知增加到甚麼地步了。你說在這樣的情形裏面在我們底生活根本起了搖動的這個時期你要去追求幻美要去作個人的春夢這是辦得到的事情嗎？

是的辦不到！我們可以懺悔了罷我們過去只在陶醉着虛無只在製造着 Mirage 和 ntoPia 的文藝只在崇拜着純藝術的鍍金菩薩—— 完全是場胡鬧！

現在是時候了。我們要把眼光移到現實上面來。我們要作詩人要作文學家要作藝術家，我們就要把腳站在社會的基礎上。我們唯一的責任是要領導羣大眾向改造現社

304

西　　施

會的一個正確的方向走去。

在現存我們首先要強迫自己對於現實發生與會我們堅決地承認若是我們拋郤現實，便再沒有活動的所在我們要一點不懷疑地承認這是我們的真理要這樣纔能改掉已往的錯誤纔能開始新的工程。

目前住在上海的詩人文學家藝術家自然是很多但是就我所接觸過的（談話上，通信上作品上）都是些患着幻夢癖的人物記得有一位朋友因爲傾慕十八世紀底古風會說要到歐洲去學比劍意思是預備同別人爭女人時好實行決門！最妙的是他和另外的一位朋友底對話：

————……只有這樣纔是真正的文藝家把自家生命獻給自家底愛人像古時的那些偉大的詩人一樣……我這次到法國總要把比劍學一學……

與其學比劍，不如學打手鎗的好。

305

——這是比劍好決鬥時多是用劍的……

——那不一定，普希金同人決鬥不是用的手鎗嗎？

像這一種人物聽丟好像是我假造的一樣其實却是千眞萬實並且這種人物在目前怕也不算少敓因爲患幻夢癖的結果只有同眼前的世界隔離像這樣的狂態原是當然的事體。

我們要是覺得這種狂態可笑時那我們就要趕快地轉變方向我們看黃浦江上排列的軍艦快要響牠們底礮聲了，我們還在這兒胡閙甚麼我們要是眞想做些比較近人情的美麗的幻夢眞想和自己底愛人甜蜜地接吻那還是趕快地起來作有用的工作無論如何先使你底現實充實，然後再謙別的要不這樣愛人怕總不是我們底愛人，而所謂幻夢也不過是到頭來總要感到 desillusionnement 的一場夢中之夢

我們中國是一個負着盛名的古國我很承認；我們有過黃金時代有過光榮的歷史，

306

西　　施

我也承認。但是這些我們不能只去欷歔地憑弔一場便算了事我們只像一個受過王政

時代恩惠的軍官一樣在懷念着過去的光榮那更是萬分的無聊了我們應該注意的是

現在是目前我們沒有徘徊於幽靈的木乃伊之前的餘裕

我再來說一遍要充實我們底幻夢須先充實我們底現實．

我開首在說西施，我們就不妨把西施比成中國罷我們要是愛西施，我們就應該先

使她把身上洗得乾乾淨淨！

二〇，丑月，一九二七．

307

人類底新紀元

人類底新紀元

來罷，你光榮的人類底新紀元的十月來罷，我們高舉起兩手在歡迎着你底降臨！

來罷，你光榮的人類底新紀元的十月來罷，我們高舉起兩手在歡迎着你底降臨！

寒風是這樣緊迫地吹來，我們眼看要被無情的空氣所侵蝕而流於僵死了。

在這種冷酷的殘暴的高壓之下，我們唯一的安慰便是有你底光燄存在我們唯一的希望便是你底光燄將要不斷地燃起以烘熱我們底血脈。

309

來罷，你光榮的人類底新紀元的十月！

將世界是早已如天明時的殘燈只賸到牠最後的一喘，我們是要把這個殘燈徹底地撲滅是要使新世界早日完成我們底責任是早已這樣決定的了。

但是這是你使我們有了這種確定的努力。因為你是由將世界到新世界的一個轉機，在這轉機中使一向在人類中受輕蔑的人們得以表示了他們力量底偉大。

來罷，你光榮的人類底新紀元的十月！

我們知道歷史本來是我們生活的紀錄，本來應該是我們全部人數底生活的紀錄，

810

人類底新紀元

但是過去的歷史卻完全被少數支配階級所壟斷，而大多數被壓迫的羣衆幾乎沒有被列入於史頁的可能。

這是你，給了我們一個新的時代。一聲驚人的霹靂把布爾喬亞底壁壘震得粉碎，在那巨浪般的『達洼里捨』的狂叫中揭示了我們從新創造一切的旗幟人類底歷史從此便得了一個新的開端。

來罷，你光榮的人類底新紀元的十月！

可憐的是過去的那些思想家他們一面既製造了假的歷史以醉麻羣衆，一面便不能不樹起了拋開歷史的虛僞理論以作他們底文化基礎這個使他們不得不自陷於破產的狀態牠們對於社會形態底不變性的種種辯護結果還只是等於一無所有。

311

在這兒，我們便認清了馬克西斯姆底特性牠是打破了論理主義或心理主義的那些哲學體系的先鋒牠緊緊地握着歷史的事實以解釋社會生活前進的程序牠把理論與實踐統一了起來牠使舊有的文化起了一個整個的動搖。——但是這是你總使這個給現代文化建設了奇偉的基礎的馬克西斯姆得了客觀的證明。

來罷，你光榮的人類底新紀元的十月！

現在，全世界已經到了分化的時期了。這分化是一天一天地顯明了起來帝國主義正預備着他們聯合的最後的進攻世界第二次的大戰怕在不遠的將來就要實現。

不過這是我們早已料到了的事體舊世界底殘燈般的呼息是總要在死前維持牠底存在的。在這兒，我們只有不放棄你給我們的勇氣，我們要堅苦地猛烈地鬥爭着前去

312

人類底新紀元

總要使你底光燄把全世界照得通紅。

來罷，你光榮的人類底新紀元的十月！

總之我們底周圍正是在被無情的寒風所襲擊着的時候，我們要求自救，除了先把

這冷酷的殘暴的環境征服以外是再沒有別種出路的。

所以我們在這兒紀念你，追想你，讚美你，禮拜你。並且，希望你底精神快快地躍入於

我們這東方老大民族底心臟之中快快地使我們有一個偉大的聖潔的眞理的 EPo-

che 底出現。

來罷，你光榮的人類底新紀元的十月！來罷，我們高舉起兩手在歡迎着你底降臨！

313

（為「思想月刊」作）

314

為滿洲事件對國外宣言

為滿洲事件對國外宣言

（爲展開社作）

我們眞是忍無可忍來把我們血渠中的呼聲投向你們。

這次日本帝國主義以橫暴的武力佔據中國東北土地殺戮，刦掠，直把強盜底面目揭露無餘。中國數千萬手無寸鐵的勞苦羣衆在炮火聲中積屍爲山鮮血污遍了滿洲底沃野。亞洲底風雲一變而充滿了屠場底腥味。

315

但是中國底當局卻只以無抵抗的手腕應付這一個悲慘的局面，日本帝國主義遂

步步前進，眼看便要蹂躪到北平鐵蹄底巨跡將踏碎這東方半殖民地底卑賤的命運。

這是非常明顯的一個事實。資本主義近年來的經濟恐慌可謂到了高度爲想越過

這層難關帝國主義底掙扎只有扯開了強盜底面孔。——奴役本國底勞苦羣衆以殘殺

別國寧可使人類再陷於世界大戰的惡氛之中。

同時帝國主義底衝突爲搶刮賊物的衝突也是逼到不能互相忍耐的時期。日美兩

帝國主義在中國衝突的結果便促成了這次的事變。

更有帝國主義對蘇俄的嫉恨在牠們不入墳墓以前是不會消滅的。這次事變的逼

來又恰在蘇俄底邊境想從此爆發一個反蘇俄的大戰是無可辯啄的事實。——這也便

是所謂『國聯』對於這個事件只想用敷衍的方法去了結的原因。

我們處在一向恐怖布滿了的中國已經是在失了自由的生存中偸活，而這次的事

316

為滿洲事件對外國宣言

變更助長了我們災難的團氛，我們幾乎是則個鎗炮下的生物我們就好像生來是專為

供人來屠殺的一樣。

　　我們是再也不能忍耐了我們不能夠再在這種重重壓迫之下呼吸，我們不願聽所

有上層階級的驅語，我們要自動地起來求活！

　　我們反抗這種強盜的帝國主義！我們反對世界第二次大戰！

　　現在我們把我們底呼聲投給你們，希望你們給我們一個有力的聲援。並望能轉告

世界民衆注意日本帝國主義底暴行，同時在反抗帝國主義和反對世界大戰的旗幟下

團結起來為人類自由的前途作誓死的鬥爭！

　　　　　　　　　　　　　　　二〇，九月，一九三一．

317

民國二十二年九月初版

每冊實價大洋一元

獨清自選集

有著作權

著者 王獨清

發行者 樂華圖書公司

印刷者 樂華圖書公司

總發行所

上海四馬路中市
五四七―五四八號
門市部
四馬路中五六五號

樂華圖書公司

特約發行所

廣州 永漢北路 共和書局

漢口 特三區保華街 光明書局